COLLECTION POLYGRAPHE
créée et dirigée par
Éric de Larochellière et Alain Farah

Le Quartanier Éditeur
4418, rue Messier
Montréal (Québec) H2H 2H9
www.lequartanier.com

Malgré tout on rit
à Saint-Henri

Le Quartanier remercie de leur soutien financier
le Conseil des Arts du Canada
et la Société de développement des entreprises
culturelles du Québec (SODEC).

Gouvernement du Québec – Programme de crédit d'impôt
pour l'édition de livres – Gestion SODEC.

Le Quartanier reconnaît l'aide financière
du gouvernement du Canada
par l'entremise du Fonds du livre du Canada
pour ses activités d'édition.

Diffusion au Canada : Dimedia
Diffusion en Europe : La librairie du Québec (DNM)

Dépôt légal, 2012
Bibliothèque et Archives nationales du Québec
Bibliothèque et Archives Canada

ISBN : 978-2-89698-029-1

DANIEL GRENIER

Malgré tout on rit à Saint-Henri

nouvelles

COLLECTION POLYGRAPHE

Le Quartanier

À mes parents

C'est un quartier curieux
Et dans les vieux fonds de cours
Y a un enfant heureux
Qui en sortira un jour
Mais au bout de la rue
À cause du chômage
Y a un homme qui a bu
En cherchant de l'ouvrage
On s'en fait pas pour ça
Et je dis chapeau bas
Car malgré tout on rit
À Saint-Henri

RAYMOND LÉVESQUE

Saint-Henri des tanneries ressemble plus à
d'autres quartiers qu'à lui-même.

JACQUES GODBOUT

nouvelles

Chèque en blanc

C'EST PEU DIRE qu'il avait tout essayé. Le lendemain matin, il s'était présenté quand même et avait essayé de négocier une baisse de salaire. La semaine suivante, il y était retourné pour se mettre à genoux devant son gérant s'il le fallait, façon de parler. On ne l'avait pas laissé entrer. Un homme lui avait fait comprendre qu'il n'était pas le bienvenu et que c'était comme s'il n'avait jamais travaillé là. Même Francine avait baissé les yeux, en sortant du Château, juste avant de le croiser sur le trottoir. Elle avait fait mine de fouiller dans sa sacoche, évitant de regarder dans sa direction, comme s'il avait été un mendiant. Francine et son look Mireille Deyglun. Francine avec qui il avait presque eu un flirt. Elle avait marché à travers lui, sans le voir, sans s'en rendre compte, mais en perçant tout de même quelque chose.

Chaque jour, il passait devant le Château durant ses marches de chômeur et n'arrivait même pas à se mettre en colère. Il ralentissait, se traînait un peu les pieds, se rappelait soudainement que c'était peut-être une des raisons secrètes de son congédiement, et il pressait le pas en s'éloignant. Il avait essayé d'appeler Norbert, des ressources humaines, chez lui, mais sa femme lui avait quasiment raccroché au nez. Il avait essayé d'appeler quelque part pour déposer une plainte, pour se plaindre, pour exprimer quelque chose de plaintif, au siège social, à Ottawa, ou à Oshawa, mais il n'avait pu parler qu'à des machines vraiment plus intelligentes que lui, d'une certaine manière.

Un matin, alors qu'il déjeunait au Greenspot, il s'était mis à observer du coin de l'œil ses anciens collègues qui gloussaient, qui se racontaient des inside jokes qu'il aurait comprises il y avait à peine un mois. Il se sentait seul et désœuvré. Colette, après avoir noté sa commande de miroirs/bacon/pain blanc sur un calepin, lui avait parlé d'un livre supposément magique qu'elle appelait *Le secret* et qui était en vente partout.

— Tu devrais checker ça, je te dis.

— Oué, peut-être.

— C'est pas comme si t'avais grand-chose à perdre.

— Non, c'est sûr.

— Paraît que ça marche.

Et elle avait léché son pouce pour tourner la page de son calepin en retournant vers les cuisines. Il avait replongé dans son café, penaud. Il se disait que c'était encore beau qu'elle continue à lui adresser la parole, malgré son air farouche. Malgré ses cheveux embroussaillés et sa maudite face de bœuf. Durant les semaines qui avaient suivi son licenciement, il avait tout essayé, même de faire comme si de rien n'était et de prendre les choses à la légère, de sourire à tout le monde. De sourire et de garder le dos droit même quand tout le monde lui disait des trucs comme une chance que t'as pas d'enfants ou comme compte-toi chanceux de pas être marié ou comme sans famille à soutenir pis en faisant ben attention tu le sais que tu peux survivre de même sans fin sur le BS pratiquement pour toujours.

Lui qui avait tout essayé, l'idée ne lui serait jamais passée par la tête de survivre sans fin sur un chèque, de se pointer aux rendez-vous mensuels avec le ministère en préparant de fausses déclarations de recherches actives, en refilant de faux numéros d'entreprises et en s'inventant des entrevues où on aurait supposément été d'une flagrante mauvaise foi à son égard, de continuer pour l'éternité à mentir et à recevoir des prestations et de tranquillement mais sûrement grossir sur les rangs des assistés sociaux.

Au contraire, il avait tout fait depuis le début dans les règles de l'art. À part peut-être un peu de harcèlement durant les premiers jours de son désarroi. À part quelques coups de téléphone désespérés – durant la nuit, dans le noir, un air de détresse psychologique un peu trop collé sur le visage –, il avait tout fait dans les règles. Il s'était renseigné sur ses options, à court et à moyen termes, avait recueilli ici et là des informations à propos de cours spécialisés de développement et de perfectionnement, ramassé des prospectus. Il avait appris à faire fonctionner efficacement un moteur de recherche. Il avait écouté ce que tout le monde avait à lui dire et à lui proposer et à lui conseiller.

Son pas était lourd, certes, mais ce n'était pas le pas d'un homme qui n'allait nulle part, ou qui tournait en rond. Chaque fois que le train sifflait, à n'importe quelle heure du jour et de la nuit, coupant le quartier en deux, ça lui rappelait l'idée d'une direction précise, d'un but et d'un enjeu, même si le train en sens inverse arrivait moins d'une dizaine de minutes après et sifflait dans la direction opposée. Il sortait la mine basse mais la tête haute de chacun de ses rendez-vous avec des fonctionnaires, provinciaux ou fédéraux.

Durant les premières semaines, il avait littéralement tout essayé, jusqu'à sourire et pleurer dans la même phrase. Le jour même, lorsqu'il était sorti du grand bureau au fond, qu'il avait refermé la porte derrière lui et traversé pour une dernière fois le long couloir au plancher de bois franc, il s'était dit j'y crois pas, merde, c'est pas vrai, sans savoir que cette phrase deviendrait un leitmotiv, un rythme, une scansion. Il ne se doutait pas qu'elle serait tellement associée aux battements de son cœur que le simple fait de la prononcer entrerait en contradiction avec ce qu'elle cherchait à exprimer. Il avait essayé de croiser Francine par hasard entre deux stands du marché, ne sachant pas grand-chose d'elle au fond, à part qu'elle achetait toujours ses légumes là-bas, pour ce que ça voulait dire. Ce n'était même pas dans le but inavoué de sauver leur semblant de relation, c'était carrément pour lui demander de glisser un mot en sa faveur en dessous de la porte d'un chef de quart. Il pensait à la possibilité de suivre Francine dans les rues du quartier, juste pour lui demander un service. S'imaginant lui répéter qu'il ne voulait pas la harceler, s'imaginant marcher à reculons un peu en avant, les mains défensives et non intrusives tendues vers elle : c'est pas ce que tu crois. Mais elle n'était jamais apparue.

Il passait souvent devant la polyvalente et l'école des métiers, où il voyait de jeunes et de moins jeunes arpenteurs en train de calculer des distances, des lignes droites imaginaires, et il s'identifiait sans problème à eux. Il se disait qu'un jour il allait entrer dans l'immense bâtisse et se renseigner sur un éventuel retour aux études. En attendant, s'il faisait attention, il pouvait se permettre de manger à sa faim, de marcher le long de la piste cyclable du canal. Il pouvait se permettre de s'asseoir sur un banc, en face de la caserne de pompiers, et d'attendre que la sirène sonne, pour voir les hommes se dépêcher, sauter dans le camion et partir sur les chapeaux de roues, pour devenir des héros dans un rayon de plusieurs kilomètres. Les saisons passaient et il continuait à se raser tous les matins. Il continuait à refuser de tomber dans le piège des plats surgelés. Il tenait bon et n'en voulait à personne.

Quelques jours avant son premier anniversaire de chômeur, il avait poussé la porte d'une librairie d'occasion parce qu'à travers la vitrine un titre lui disait quelque chose. Sur un petit livre brun, debout dans la fenêtre au milieu de plusieurs autres livres, il lisait

The Secret en grosses lettres blanches. Et, en plus petit en dessous, comme traduit juste pour lui, *Le secret*. Il s'était souvenu de Colette, de son doigt humide en train de lui dire qu'il n'avait rien à perdre. Il se rappelait que ce matin-là, après avoir englouti son déjeuner, il était sorti du Greenspot avec un air maussade, les mains bien enfoncées dans ses poches, répétant avec mépris dans sa tête le secret, le secret, m'a y en faire des secrets, à elle. M'a y en faire, moi, des secrets, estie. De quoi qu'a se mêle. Mais aujourd'hui, près d'un an plus tard, il était là, stoppé devant une vitrine, les yeux sur la couverture du livre et il réfléchissait, comme hypnotisé. Il réfléchissait au doigt mouillé de Colette qui lui disait pourquoi pas? Il avait tout essayé. Et il était entré dans une librairie pour la première fois depuis bien longtemps. La clochette avait tinté.

Ça faisait cinq jours qu'il dormait avec le chèque en blanc sous l'oreiller. Au milieu de son salon, sur la table basse en mélamine, traînaient des dizaines de volumes de différentes grosseurs. Un gros bouquin illustré de Dan Brown. Trois biographies de Léonard de Vinci. Un beau Nouveau Testament tout orangé. *Les clés spirituelles de la richesse,* de Deepak Chopra. Une longue introduction à la loi de l'attraction datant de 1906, par William Walker Atkinson. Une édition de poche de *La prophétie des Andes.* Les dix derniers romans de Mark Fisher et les trois derniers romans d'Antoine Filissiadis. Un bouillon de poulet pour les chômeurs. Un exemplaire autographié du livre de Christine Michaud répertoriant les meilleurs ouvrages sur la santé spirituelle, qu'il avait déniché au Salon du livre. Il avait fait la file pour dire un ou deux mots à la chroniqueuse. Si on lui avait dit deux ans auparavant qu'il ferait un jour la file dans un Salon du livre.

Des feuilles de papier traînaient aussi un peu partout dans son appartement, sur la table de la cuisine, sur les chaises, scotchées sur les armoires, avec des pensées et des exercices qu'il aimait. Il connaissait des choses sur l'Opus Dei et sur les pratiques bouddhistes que personne ne soupçonnait, des choses qui lui avaient été révélées parce qu'il le méritait, et c'était une des raisons qui l'incitaient à continuer parce qu'il se sentait sur la bonne voie, en équilibre, sur une corde raide vraiment solide. Il écrivait des pensées sur des feuilles avec sa plus belle calligraphie, en lettres détachées, et il se griffonnait des problèmes moraux à régler en un quart d'heure. Il s'imposait des limites de temps pour réfléchir, qui l'obligeaient à rejeter le négatif du revers de la main.

Le soir même, après être sorti de la librairie, son achat sous le bras, il s'était fait un Nescafé et s'était assis avec le livre, sans prétention, sans attente. Après deux pages, il avait été convaincu. Deux pages avaient suffi à lui faire voir la vie différemment. Après seulement deux pages, il pouvait affirmer qu'il réagissait différemment à cette brûlure aux lèvres qu'il venait de se faire avec le café chaud. Ça ressemblait à une révolution. Dans ses poumons et dans ses doigts. Il tournait les pages et ne se reconnaissait déjà plus. Il n'avait jamais lu grand-chose, mais il avait su dès la fin de la préface qu'il allait tout lire à partir de maintenant. Ça lui donnait envie de le dire à tout le monde et en même temps de ne le dire à personne. C'était un livre qu'on gardait pour soi, qu'on lisait en regardant presque par-dessus son épaule.

Il n'avait pas dormi de la nuit et, quelques heures après avoir ouvert le livre, il l'avait refermé, en tremblant, façon de parler. Dès le lendemain matin, il dépensait une partie de son chèque mensuel à la librairie de seconde main, dans un élan de pensée positive irrépressible. Sans trop en être conscient, il s'apercevait qu'il évitait de regarder le propriétaire dans les yeux et qu'il fouillait dans les rayons comme si ce qu'il cherchait y avait été caché. La façon dont ses mains touchaient les livres donnait l'impression qu'il allait déterrer un trésor sous peu. Comme de fait, en déplaçant deux traités sur les anges mineurs, il avait trouvé un tome de la série des *Enseignements d'Abraham,* de Jerry et Esther Hicks, dissimulé dans le fond de la tablette. Derrière, oublié, négligé par des yeux moins déterminés que les siens. Son cœur avait accéléré. Il avait repêché le livre en prenant bien soin de rester subtil. Ensuite, les découvertes s'étaient multipliées. Sa pile, présentée à contrecœur à la caisse, était impressionnante. Il avait répondu sommairement aux commentaires et aux regards intéressés de l'homme qui, sans expliquer pourquoi, prenait en note les titres de ses achats.

— J'appelle ça faire l'épicerie, moi.

— Pardon?

— Non, je disais juste que, quand je fais le plein de livres comme ça, moi, j'appelle ça faire l'épicerie.

— Ah, OK.

— Vous en avez pour une couple de jours avec ça.

— Sûrement, oui.

— Vous êtes dans le domaine ?

— Dans le domaine ?

— Non, je veux dire, vous êtes dans le domaine de la croissance personnelle ?

— Ah, non, non, c'est juste pour le fun.

— Hum, OK. Donc. Soixante-trois et vingt s'il vous plaît.

Il s'en était voulu de cette réponse négative, tout de suite après. En sortant il s'était entendu la répéter intérieurement et s'était trouvé imbécile. Menteur et imbécile. Ce n'était pas pour le fun, c'était loin d'être pour le fun, c'était tellement sérieux qu'il en courait presque, pour arriver chez lui plus vite, jetant des coups d'œil pour vérifier que personne n'était à ses trousses. En glissant la clé dans la serrure, il avait respiré profondément et s'était calmé. Au loin, le bruit des grues et des bulldozers du chantier Turcot semblait augmenter, malgré la pénombre.

Dans les semaines suivantes, il s'était abonné à la bibliothèque du quartier. On le reconnaissait maintenant quand il entrait, à la façon dont sa démarche assurée le menait toujours dans la même direction, à la façon dont sa carrure se déplaçait silencieusement, avec une sorte de dignité qui n'était pas sans passer inaperçue.

Il ne parlait à personne, mais quand on lui adressait la parole, il n'hésitait pas à répondre que oui ça allait bien, ça allait très bien. Et c'était vrai dans un certain sens, dans sa nouvelle vision du monde. Il y croyait, parce qu'y croire c'était déjà bien plus que la moitié du chemin de parcourue. Ce n'était pas quelque chose qu'il s'inventait, ou une couche de couleur qu'il ajoutait bêtement sur du gris fade. Il avait littéralement retroussé ses manches et il s'était plongé les mains dans un bonheur qui n'attendrait pas. Ça marchait comme ça, on ne le lui avait jamais expliqué, mais maintenant il comprenait. C'était effectivement à cause de son pas lourd qu'on l'avait congédié. C'était effectivement à cause de son attitude. Il n'en voulait à personne. Tout était une question de poids, d'épaules, de forces, d'attractions, de répulsions, d'énergies, de projections, de transferts, de jaillissements, d'émissions, de transmissions, de lests, de substitutions, de cessions, de déplacements, de transactions, de renvois.

Son petit appartement s'était transformé en cellule de crise. Il n'y avait plus une minute à perdre. Sur la table du salon traînait son nouveau savoir encyclopédique et ésotérique. Il ne buvait presque plus de café. L'alcool, il n'y pensait même pas. Toute son énergie était concentrée sur un point focal précis, éloigné dans l'espace et dans le temps, qu'il devait stabiliser. Il faisait des exercices psychologiques qui amélioraient son physique, il s'en rendait compte. Dans le miroir, l'image qu'on lui renvoyait était à des lieues de ce qu'il avait connu de lui jusqu'à présent, ses traits remontés, ses cernes atténués.

En se touchant le front il n'avait plus l'impression de piétiner et de caler. Il s'était acheté des poids qu'il soulevait d'abord péniblement, mais rigoureusement. Quelques jours après s'être procuré tous ces livres, il avait fait une marche étrange et sans itinéraire, perdu dans ses pensées, qui l'avait mené jusqu'à l'oratoire : partant du bas de la ville et contournant le petit parc des Hommes-Forts, à côté du Home Depot, il était passé sous l'arche de pierre qui le séparait de Westmount, avait tourné sur Victoria pour monter la rue entre les maisons cossues. Il ne ressentait rien d'autre qu'une joie profonde et savait qu'il faisait partie d'un ensemble. Une fois au sommet de la montagne, il n'était pas allé allumer de cierge, parce qu'il n'était ni blessé ni souffrant. C'était ça, la réponse qu'il avait cherchée longtemps. Il était en pleine forme, en pleine possession de ses moyens, et il comprenait qu'il lui suffisait de mettre un pied devant l'autre pour monter dans la ville.

Il avait suivi les étapes avec un sérieux et une patience qui parfois l'étonnaient lui-même. D'abord changer d'attitude, laisser tomber le poids mort, regarder en face. Ensuite changer de comportement, modifier les habitudes, laisser tomber les vices cachés. Il savait que, pour mériter, il fallait croire et vice-versa. Il savait qu'il devait croire qu'il le méritait, que c'était son dû.

Au moment exact où il s'était senti prêt, sincèrement et honnêtement prêt, il s'était signé un chèque en blanc et l'avait placé sous son oreiller. Chaque nuit, il lui fallait penser à un montant et se concentrer sur les numéros, sur les chiffres, sur leur sens par rapport à son passé, à son destin et à sa personnalité en général. Chaque nuit, il lui fallait focaliser son attention sur la ligne vide du chèque et y inscrire des numéros durant son sommeil. Il savait qu'il devait le mériter pour y croire. Il le méritait, son miroir et ses pas le confirmaient à chaque instant. Et ça faisait cinq jours qu'il dormait avec le chèque quand ils étaient apparus devant sa porte. La sonnette avait retenti.

Ils étaient trois, placés en triangle, ou en pyramide dont il aurait été l'œil en surplomb, devant sa porte d'entrée. Un homme en complet gris, portant des lunettes et une valise, un autre homme qui lui disait quelque chose, qu'il avait l'impression étrange et familière d'avoir déjà vu sur une pancarte, et une femme qu'il reconnaissait aussi, ou du moins qu'il croyait reconnaître, qui ressemblait à la ministre responsable des Aînés au gouvernement provincial, sa députée. Il avait ouvert la porte et ils lui avaient dit bonjour les trois en même temps. Il leur avait confirmé qu'il était bien monsieur Jean Lévesque, oui, qu'il était bien locataire à cette adresse précise. Ils s'étaient regardés en souriant, et le premier homme s'était présenté en tendant la main : Étienne-Thomas Lemieux-Lefebvre, de la Société historique de Saint-Henri, bonjour monsieur Lévesque, enchanté. En lui serrant la main, il écoutait déjà les présentations des deux autres. L'homme qu'il avait vu sur une pancarte était un représentant de la mairie de Montréal, Alexis Richard-Lepage, et la femme était effectivement Anne

Cloutier-Gomez, sa députée libérale. Ils étaient tous trois enchantés de faire sa connaissance et ne tarderaient pas à lui faire connaître la raison de leur présence ici, en ce beau mercredi matin : ils avaient une proposition à lui faire qui lui plairait certainement, c'était à n'en pas douter. Un peu confus, mais intrigué, il les avait invités à monter derrière lui. Les pas de quatre personnes en file indienne avaient sonné dans l'escalier, un son qu'il avait presque oublié, un peu sauvage qu'il était depuis plus d'un an. Ça faisait longtemps que d'autres gens que lui étaient montés au deuxième.

Chacun avait eu un rôle à jouer dans la conversation. Monsieur Richard-Lepage avait d'abord pris la parole, expliquant sa présence au sein de cette délégation. Il s'agissait pour la ville centre de poursuivre ses efforts, dans une visée à long terme, de reconnaissance et de régénération historique du patrimoine urbain. En tant que représentant in absentia du maire, il lui faisait plaisir et honneur de présider à cette rencontre. Il lui avait serré la main une seconde fois, au-dessus de la table. Madame la ministre s'était ensuite déclarée extrêmement fière d'être là, afin de pouvoir être témoin d'un événement qui n'arrivait pas tous les jours. Elle avait parlé plusieurs minutes, en touchant les perles de son collier, dans un langage qu'il n'était pas sûr de bien saisir. Des mots techniques, comme *revitalisation, bien immobilier* et *ethnohistorique, secteur protégé, cadastre, aire de protection,* venaient rebondir sur son visage.

Il commençait à ressentir une agitation qui tendait vers l'inquiétude et l'anxiété. Une vieille habitude lui remontait dans la jambe, et il s'était presque mis à vibrer quand le tour de monsieur Lemieux-Lefebvre était arrivé. Sortant des documents de sa valise, il avait fait deux piles sur la table, en les alignant parfaitement avec ses doigts, et s'était raclé la gorge profondément :

— Mon cher monsieur Lévesque, savez-vous qui était Louis Cyr ?

— Louis qui ? avait-il répondu en ne regardant pas à la bonne place, ce qui avait fait tourner la tête des trois autres.

— Louis Cyr, l'homme le plus fort du monde.

— Ça me dit de quoi.

— Louis Cyr, l'homme le plus fort du monde, de son vrai nom Cyprien-Noé Cyr, né à Saint-Cyprien-de-Napierville, en 1863. Il a déjà soulevé un cheval pour gagner un concours de force. Et il n'avait que dix-huit ans. À l'époque, la lutte n'existait pas aux Jeux olympiques, ni l'haltérophilie; les Jeux olympiques n'existaient même pas, mais il était tout de même considéré comme l'homme le plus fort du monde. On dit qu'il a réalisé le premier véritable et démontrable lever du doigt d'un poids supérieur à cinq cent cinquante livres. On parle de cinq cent cinquante-deux livres exactement. Vous vous demandez peut-être pourquoi je vous parle de Louis Cyr aujourd'hui ?

Sans lui laisser le temps de répondre, monsieur Lemieux-Lefebvre avait continué :

— Il se trouve que, c'est de notoriété publique, monsieur Louis Cyr, entre les années 1883 et 1885, a été employé par le service de police de la ville de Sainte-

Cunégonde, que vous connaissez mieux probablement sous le nom de Petite-Bourgogne, juste de l'autre côté de l'avenue Atwater. Il se trouve aussi que des chercheurs, mandatés par l'Université McGill, en collaboration avec le Centre de recherches historiques et patrimoniales de la ville centre section Sud-Ouest, viennent de découvrir le lien qui vous unit à cette admirable légende canadienne. Louis Cyr, pour votre information, était marié et bien marié avec Mélina Comtois, qu'il avait rencontrée pendant sa jeunesse au Massachusetts, avec qui il a connu plusieurs années heureuses et, malheureusement, plus d'un épisode de misère. Nous ne voulons pas spéculer sur les affres de leur mariage et de leur vie commune, mais on sait maintenant que Cyr a fait ses valises plus d'une fois. On sait aussi maintenant que Mélina était d'une nature jalouse et qu'elle avait probablement des raisons de l'être. C'est du moins les conclusions qu'on peut tirer de l'épluchage de sa correspondance privée. Bon, je ne vous ferai pas languir plus longtemps : il se trouve que Cyr et une dénommée Pauline Geoffrion auraient été, entre les mois de janvier et de novembre de l'année 1884, locataires à cette adresse précise, ici même où nous nous trouvons, où vous habitez, rue Rose-de-Lima. En foi de quoi, c'est en tant que président intérimaire de la Société historique de Saint-Henri que j'ai l'honneur de vous annoncer que la Ville de Montréal…

La main de monsieur Richard-Lepage s'était levée. Il avait dit, encore tout sourire :

— Un instant, monsieur Lemieux-Lefebvre, n'allez pas trop vite. Je crois qu'il me revient d'annoncer la nouvelle dans les règles.

— Oui, bien sûr. C'est juste que je suis assez excité. Allez-y, allez-y.

— Monsieur Lévesque. Je serai bref. La Ville de Montréal a l'émoi de vous annoncer que vous habitez présentement un lieu historico-patrimonial, j'ai nommé la susmentionnée demeure provisoire d'une des figures les plus respectées de l'histoire de notre ville, dont la sauvegarde et la protection civile entrent légitimement dans notre enveloppe budgétaire et qu'il nous fait honneur, bien entendu avec la collaboration généreuse du gouvernement du Québec, de mettre en valeur dans l'optique future d'en voir l'usufruit et d'en faire profiter la population métropolitaine ainsi que les générations à venir. Nous sommes ici en premier lieu pour vous rassurer, et pour vous assurer que tout le processus sera mené dans la plus stricte légalité et le plus pur respect des règlements municipaux en vigueur concernant tous cas et formes d'éviction, d'expropriation, d'expulsion et autres reprises et réquisitions d'un bien foncier par l'entité juridique représentée par –

— Une quoi? Une éviction?

Il avait sursauté. C'était presque le seul mot du fastidieux discours de monsieur Richard-Lepage qu'il avait entendu. Six mains s'étaient aussitôt levées devant lui dans un mouvement synchronisé afin de le calmer. Non, non, ce n'était pas ce qu'il croyait. Madame la ministre s'était empressée de reprendre la parole, joues rouges et sourire avenant :

— Monsieur Richard-Lepage, si vous permettez, trêve de jargon. Merci. Monsieur Lévesque, ce que mon collègue ici présent essaie de vous expliquer, c'est qu'à travers une collaboration serrée entre les différents paliers de gouvernement, une entente a été signée pour les prochaines années afin d'assurer que les meilleures mesures soient prises pour sauvegarder des pièces et des lieux particulièrement importants de notre patrimoine collectif, culturel et national. Évidemment, le projet est en rodage et nous tentons présentement de nous ajuster aux besoins de la population. Le mot *éviction* est mal choisi, bien qu'il soit incontournable au sens légal, mais dans la mesure où des incitatifs compensatoires plus que raisonnables sont offerts nous croyons que –

— Des incitatifs quoi ?

— Quinze mille dollars.

— Quinze mille ?

— Quinze mille dollars. Somme évaluée rigoureusement selon des critères spécifiés dans l'annexe de ce dossier qui, si vous permettez, oui, en page cinq, juste ici, voilà, vous éclairera un peu plus, tout en vous donnant une vue d'ensemble du projet, chartes et graphiques à l'appui.

Profitant d'un court silence, monsieur Richard-Lepage avait précisé que le propriétaire de l'immeuble avait lui aussi été contacté et dédommagé en fonction d'un contrat un peu différent, comme stipulé dans l'Annexe B1, et que monsieur Lévesque n'avait pas à s'occuper des tractations qui étaient déjà en cours de son côté. Il n'écoutait plus. La ministre lui souriait. Elle était jolie. Elle ressemblait à une vedette.

Au bas de la page cinq était agrafé un chèque de quinze mille dollars, signé par la députée libérale et par le ministre de la Culture, des Communications et de la Condition féminine, encaissable en date d'aujourd'hui.

On lui laissait jusqu'au 31 pour vider les lieux, en emportant ses vêtements, ses meubles, sa télé, son grille-pain, sa brosse à dents, son oreiller, ses livres, ses poids et son chèque en blanc. Il n'entendait plus rien.

Il s'était relevé lentement. Les cloches d'une église lointaine avaient résonné.

Field recording

*Une bande d'écoliers
à la sortie des classes, rue du Couvent*

« TU VEUX JUSTE PAS QUE ÇA T'ARRIVE, tu veux juste pas. J'étais aucunement en train de faire chier personne, j'étais super relax, tout seul dans mon coin, assis à terre en train de placer mes cartes *Dofus* en ordre de stamina. Mon PSP était ouvert à côté de moi avec ma game de *God of War* sur pause, pis le gros crisse de Simon Gervais a pilé dessus en marchant sans regarder, comme un whack. Ça a fait power, pis ma game était même pas savée : fallait que je repasse le boss de l'Olympe. Faque je me suis levé, j'y ai dit crisse de gros cave Gervais, t'as effacé ma game. Y m'a regardé avec sa face full acné de gros tas. J'étais vraiment en crisse. J'étais vraiment comme décidé à me battre, sauf que j'avais mangé de la piz à midi, pis mon intolérance au lactose a full kické d'un coup. J'ai eu une crampe, mon gars, tellement forte, j'ai eu tellement envie de chier que ça a toute sorti d'un coup quand Gervais m'a genre juste poussé sur l'épaule. Une petite bine de fif, sauf que mes yeux sont devenus full ronds, j'ai senti ça dans mes culottes. J'ai échappé toutes mes cartes *Dofus*. Je pouvais pas bouger. Bloqué ben raide. Man, tu veux juste pas que ça t'arrive. Là, ben j'ai demandé à ma mère pour changer d'école, mais oublie ça : c'est soit ça ou le privé.»

*

Un homme et une femme,
dans un blind date au restaurant Bitoque

«C'est con, mais de la voir comme ça tellement triste en train de brailler comme une Madeleine ça m'a rappelé mes années de médecine, une classe d'anatomie et de dissection humaines, c'était ça oué, quand c'est le cadavre de mon père qui est apparu sur la table devant moi. J'avais le bistouri dans la main gauche et malgré la débarbouillette que le technicien avait placée sur son visage je reconnaissais très bien mon père, son pénis et tout, son grain de beauté hyper gros en dessous du mamelon. Il était mort une semaine plus tôt, personne m'avait dit qu'il avait offert son corps à la science, personne m'avait averti. Ma mère m'avait rien dit. Ma mère me dit jamais rien, c'est pour ça que ce matin en la voyant brailler de même j'ai rien dit, elle a rien dit non plus, on s'est rien dit parce qu'on se dit jamais rien, et j'ai seulement pensé à cette fois-là, à ce matin-là quand tout allait mal dans ma vie, vraiment mal, mon père venait de mourir d'un infarctus sorti de nulle part, ma blonde venait de me laisser pour Pierre Lapointe, en me disant qu'elle était sûre sûre sûre de pouvoir le faire virer de bord, mais tu l'as jamais rencontré, tu fais juste triper sur sa musique pis sa voix forcée de Français de France, pis en plus il est gay comme Crésus. Elle m'avait répondu on s'en fout on s'en fout on s'en fout comme ça plusieurs fois d'affilée, en claquant la porte de mon appartement aux résidences, faque je m'étais pointé ce matin-là à la classe de dissection comme essoufflé de la vie, tu vois. J'étais sur le point de remettre en question l'ensemble de ma future carrière en médecine, quand le technicien a poussé la civière dans la salle, en sifflotant la mélodie du «Columbarium» et il s'est arrêté juste en face de moi. Il m'a souri sans malice, j'avais le bistouri dans la main gauche et malgré la débarbouillette qu'il avait placée sur son visage j'ai reconnu mon père immédiatement : le dos de ses mains était poivre et sel, il avait une cicatrice de vasectomie près du nombril, il avait les orteils ratatinés, et ses genoux comme des nœuds coulants me sautaient aux yeux. Ça a réglé la question. C'était trop pour moi. J'ai quitté la salle, je suis jamais revenu. Mais bon, je veux pas te saouler avec mes affaires, assez parlé de moi.»

*

Un groupe de joueurs de basketball,
terrain de la rue Saint-Ferdinand

«Man, je sais pas comment j'ai fait mon compte, mais je viens de prendre ma douche, écoute ça : je me savonnais le dos, les fesses, toute, pis j'ai entendu un son métallique. Je me suis retourné, écoute ça : y avait un cinq cennes à côté du drain. Je l'ai ramassé, en me posant sérieusement des questions, j'ai ouvert le rideau pis je l'ai pitché sur la céramique du plancher. C'est ça. Là je viens de me rappeler que j'ai oublié de le ramasser en sortant de la douche. Je sifflotais en me mettant mes verres de contact dans les yeux. Je pensais à d'autre chose. Je suis un peu épais, j'aurais dû prendre ma douche après la game. En tout cas. Y doit être encore là.»

Quatre et demie sur du Couvent coin Saint-Jacques, chauffé, sans histoire

L E   V I E I L   H O M M E se retourne vers moi, alors je répète ma question :

— Comment s'appelait l'ancien locataire ?

Ma voix lui parvient, je crois, avec tout ce que j'y ai mis de clarté et de prononciation distinguée. Il a une moue déplaisante, une crispation généralisée, il cherche dans ses souvenirs. Il se demande où je veux en venir. Je le fais douter. Enfin, j'analyse ça comme ça. Il finit par dire :

— Bédard, Pierre ou Philippe Bédard, oui, quelque chose dans le genre. Un gars bizarre, solitaire, tout le temps enfermé. D'ailleurs, tout est encore comme au moment de sa mort, on n'a pas eu le temps de faire le ménage pis personne a rien réclamé. Tout ce que vous voyez ici, c'est à lui. Si vous décidez de le prendre, on va s'arranger pour le vider avant que vous vous installiez.

Le nom qu'il a prononcé ne me dit rien, bien qu'il évoque en moi le sable des grandes plaines d'Espagne, une image que je m'efforce d'écarter alors qu'après quelques pas de reculons, ma compagne et moi tenons un conciliabule. Elle a l'œil plus aiguisé que le mien, je l'écoute. Elle me dit qu'elle ne sait pas trop, que ça lui plaît, qu'elle n'aime pas beaucoup les moulures du plafond, qu'elle apprécie particulièrement le bain sur pattes (lion ou tigre, d'après toi?), qu'elle exècre cette hotte moderne qui, au lieu de se trouver comme il se doit au-dessus de la cuisinière, se dessine sur ses côtés, quasiment collée sur les ronds, qu'elle affectionne cependant beaucoup la petite pièce attenante à la cuisine qu'elle appelle déjà le garde-manger, qu'une petite mais vigoureuse touche de peinture ne ferait pas de tort, surtout dans le couloir où il y a presque un roman complet dans les taches sur les murs, qu'elle serait prête à passer outre à l'immonde tapis ornant le plancher de la plus petite des deux chambres, qui deviendrait mon bureau, et qu'elle ne voit pas d'inconvénient réel à ce que la vue soit pratiquement inexistante.

Je comprends donc que, en gros, elle aime bien l'endroit, malgré des réticences d'ordre mineur.

— Oui, répond-elle, en fait, comparé à tout ce qu'on a visité jusqu'à maintenant, cet appart, il est très bien. J'aime l'emplacement par rapport au métro, toi t'aimes full le quartier… Une fois que toute la paperasse qui traîne va être partie, ça va être parfait pour nous.

Et de désigner du bras, d'un grand geste arrondissant, la pièce qui nous entoure.

Moi, cette « paperasse » m'intrigue. Tous ces papiers, toutes ces piles de documents, ces bibliothèques remplies à en crouler de vieux bouquins reliés en cuir : c'est vraiment le bordel ici. Vraiment le monde secret et poussiéreux d'un raté. Je me pose la question, et tout de suite après je décide qu'elle a du sens, qu'elle est légitime, que je suis tout à fait dans mon droit, alors je la pose tout haut :

— Qu'est-ce qu'il faisait, le gars, Bédard ? Dans la vie, je veux dire... Si c'est pas indiscret ?

— Journaliste, je pense. Oui, historien ou journaliste, quelque chose dans le genre. Professeur ? Écrivain. Je sais pas. Toujours enfermé ici. Il voyait pratiquement personne. Faque, ça vous intéresse ? Le prix est bon, c'est un bon petit logement, la plomberie est bonne, les circuits électriques sont bons, c'est un bon petit logement, les voisins d'en bas sont corrects, du bon monde, une bonne affaire.

Je m'aperçois qu'il a dit *bon* exactement sept fois et là-dessus ma compagne et moi, par un hasard quand même pas inquiétant, mais tout de même étrange, nous parlons simultanément, et nos voix se chevauchent :

Elle : Je pense qu'on va le prendre.

Et moi : Comment il est mort ?

Et le vieux : Quoi ?

Je regarde ma compagne et, avec toute la courtoisie que je me connais, lui cède la parole, c'est-à-dire que je fais une toute petite révérence en tendant la main dans sa direction. Je me dis que le bonhomme doit commencer à nous trouver un peu bizarres, un peu maniérés, il pense peut-être qu'il va se retrouver avec deux autres bozos. Mais j'ai quand même encore mon idée en tête. Je la garde. Elle s'avance un peu vers le vieux, déjà prêt à lui serrer la main :

— Je crois qu'on va le prendre.

— Bon, c'est bien, c'est une bonne affaire, vous allez voir.

— Oui, on pense aussi.

Ils se serrent la main et je profite de ce silence solennel entre les deux pour répéter à mon tour :

— Faque, comment il est mort?

— Bédard?

— Oui, vous avez dit qu'il était mort.

— Oui, mort, je sais pas trop. C'est confus.

— Comment ça, confus?

— Une histoire tordue, comme le bonhomme. Je me souviens plus trop clairement.

— Tordue?

— Oui, tordue. Il me semble qu'on m'a raconté qu'il s'était pogné la cravate dans un ventilateur, ou quelque chose dans le genre.

— Dans un ventilateur? Euh.

Je reste interloqué. En effet, si le vieux dit vrai, c'est tordu comme mort, ou du moins c'est assez con, et c'est complètement intéressant, pour plein de raisons évidentes, et je ne vois pas pourquoi il nous mentirait. Ma compagne accuse un léger fou rire et je suis tenté de l'imiter tout de suite après, mais l'autre nous regarde comme avec un anévrisme en train de se concrétiser dans son cerveau, ou c'est juste une impression que j'ai,

à cause de la mort de l'autre, une sensation d'étouffe-
ment. Je dis :

— C'est effectivement tordu. Je veux dire, vous avez
raison, c'est tordu en crisse de mourir de même.

Le vieux décide qu'en voilà assez de cet échange qui
ne mène certainement pas à quelque chose de concret
et revient aux questions pratiques. Avec sa voix à gros
grain, très proche d'un cliché photographique agrandi
plusieurs fois, il prononce :

— Donc, sept cent soixante-quinze, chauffage et
électricité, ça vous va ?

— Oui, disons-nous à l'unisson.

— Bon, c'est bon…

Pendant qu'ils discutent de certains détails, qui sont
loin de m'intéresser, je vais jeter un œil à ce qui semble
la bibliothèque principale. Les livres sont empilés de
façon désordonnée, certains debout, d'autres couchés,
qui servent de soutien sur les tablettes chancelantes. En
majorité, ce sont des romans ou des traités de chevalerie
qui racontent l'histoire de héros mythiques qui se bala-
daient en charrette. J'ai lu un roman de ce type une fois
et j'ai trouvé ça tellement mauvais que j'ai de la difficulté à m'imaginer qu'on puisse s'en faire une passion,
voire un culte. Un peu comme on s'imagine une réu-
nion annuelle des fanatiques de science-fiction, et là dans
ce cas-ci toute la bande est déguisée en chevalier et en
princesse, et il y a des chevaux en plastique qui gardent
l'entrée du symposium, sans oublier le troubadour en

collants rouge et vert. Bédard a dû manquer d'oxygène à la naissance (ça peut être aussi absurde que ça : un claquement de doigts et pouf! on est débile), je me dis, parce que la Table ronde et la quête du Graal, merde, c'est quand même assez nul comme univers. C'est un jugement de valeur un peu radical, alors je rougis, mais pas beaucoup. Je veux dire, ce n'est pas comme si ces histoires n'étaient pas hautement prévisibles et bourrées de lieux communs pathétiques, qu'on n'y trouvait pas toutes les merdes de clichés qui font aujourd'hui de la vie une recette magique à laquelle on croit, à la place de la vivre, et qu'elles ne se résumaient pas à quelques grands thèmes égratignés, et une œuvre qu'on peut résumer, au fond, ce n'est pas une œuvre... Je rougis encore une fois, mes joues picotent.

En continuant de feuilleter quelques pages de quelques bouquins, je tente de me faire une idée de la tête de Bédard, de sa figure, de la face triste qu'il a faite au moment de recevoir une gigantesque pale de ventilateur dans le visage, sa cravate coincée lui serrant la gorge, et c'est un mélange de slapstick à la Buster Keaton et de film gore qui me vient à l'esprit. Je ne peux pas m'empêcher de trouver ça à la fois ridicule et dégueulasse, une sorte d'image surréaliste avec des bouts de cervelle qui côtoient une hélice pointant aux quatre points cardinaux. Je rougis et je souris en même temps, et je ne sais pas laquelle des deux réactions découle de l'autre. Où est-ce qu'il pouvait bien se trouver pour que ça arrive? Sûrement pas ici, on ne porte pas de cravate n'importe où, il y a des endroits désignés pour ça. Le travail, le happy hour. La vie urbaine et mondaine. Et l'autre prétend qu'il ne sortait jamais, qu'il restait à la maison toujours, tout le temps, qu'il ne voyait personne, et c'est étrange quand même que quelqu'un qui ne sort pas finisse de cette façon-là, à moins que ça se soit passé ici, mais il nous l'aurait dit. En tout cas, ça ne s'invente pas, on ne peut pas *choisir* cette façon-là de mourir, même si elle est poétique et tout et qu'on voudrait bien mourir de façon poétique, ou du moins inusitée. Pourtant celle-là, elle l'est trop, justement, peut-être, oui, voilà, trop poé-tique, trop imaginée par un esprit pas malfaisant mais un peu détraqué, un esprit *pervers,* exactement le mot, et Bédard était pervers sans aucun doute, il se terrait ici, tramait quelque chose, la fin du monde, ou quelque chose d'autre, une révolution moyenâgeuse. Il planifiait le retour du monarchisme, c'est à la mode, le retour du droit de cuissage, mais il n'a jamais vu les films des Monty Python, surtout celui avec le lapin meurtrier qui s'attaque à Lancelot et ses amis, c'est certain qu'il n'a pas vu ces films, parce qu'il ne sortait jamais, parce qu'il ne s'amusait jamais, parce qu'à peine allait-il chez le barbier pour se faire ôter cette barbe quand il com-mençait à piler dessus et à s'enfarger dedans, le pauvre homme. Et en même temps le pauvre raté pervers, qui passait son temps, qui passait toute sa vie enfermé, et ça puait l'humidité et la sueur ici, et la crasse et toutes ces traces de doigts sur les murs et ces taches d'encre, il y avait quelque chose de pas net chez lui, dans lui, absolument certain, quelque chose qui le faisait oublier, disparaître, tout en le rendant unique et dangereux. Le parfait type qui s'efface dans la foule et qui se fait sauter en plein milieu de Saint-Laurent devant le Second Cup parce que ça ne respecte pas la loi 101 ou n'importe quoi. Un débile qui s'assoyait par terre au milieu de tous ses livres et qui se frottait les mains en se balançant comme un autiste, comme Rain Man, mais Rain Man avec le look de Charles Manson, qui se frottait les mains en récitant des poèmes en oc ou en oïl, se léchant les babines en réécrivant l'histoire du monde, pareille mais différente, se léchant les babines. Complètement détraqué, démantibulé, l'homme se balançant d'avant en arrière, assis en indien juste avant de se lever soudainement et de mettre son projet à exécution. Et il se colle des bombes sur l'abdomen, et s'enfile un t-shirt de licorne et de tour d'ivoire, et il est prêt. Il sort en trombe, vraiment décidé, il va se faire exploser devant le Valet d'Cœur, celui sur Saint-Denis, à une heure d'affluence, durant le temps des fêtes. Parce que le Valet d'Cœur est devenu mercantile, s'est vendu au complot du grand capitalisme mondial, et le voilà qui s'avance vitement et sûr de lui, de ses actions, je le vois très très bien, mais il n'y a pas de cravate dans mon image, il n'y a pas de ventilateur à l'horizon, il n'y en a pas, c'est l'hiver et je n'arrive pas à lier ça avec ça et ça avec ça, il y a quelque chose qui m'échappe.

Ma compagne a terminé, elle me pose une main sur l'épaule, qu'elle caresse d'un mouvement microscopique des doigts :

— On y va?

— Oui, je réponds, tout en déposant le livre sur la tablette, n'importe comment, pour ne pas détruire l'ensemble.

Nous sourions au vieux qui ne nous sourit pas vraiment en retour et sortons. Je me dis qu'il doit déjà commencer à appeler ses amis pour débarrasser les pièces de tous ces restes d'une ancienne vie qui n'est pas la nôtre et qu'on ne veut pas connaître, après tout.

Dans la rue, on ne voit personne, la cour de l'école primaire est déserte. Je me retourne pour regarder la fenêtre de notre futur logement, au deuxième. Même si je sais qu'elle déteste ça, j'allume une cigarette. Il ne fait pas froid, mais je frissonne un peu parce que pour un court instant j'ai cru apercevoir derrière la vitre une ombre subtile, un peu luisante, comme serrée, engoncée dans une armure. Mais je suis fatigué de rougir sans arrêt pour des conneries, alors j'avale bien la fumée et on s'en va.

Le danseur

IL A PENSÉ que recevoir la goutte de sueur directement dans l'œil était un signe, comme quand une chose précise arrive, quand une chose tombe au milieu de quelque chose d'autre, comme quand une cible est atteinte, mais sans visée préalable.

Il a pensé aux mécanismes de la réalité.

Il a eu mal sur le coup, mais ça ne lui a pas enlevé l'impression de destin ou de fatalité, ça ne lui a pas fait réaliser qu'une goutte d'eau qui tombe dans une flaque, ou dans un lac, crée toujours sa propre cible, qu'elle est toujours le centre de quelque chose, nécessairement.

Ça a brûlé dans son œil quelques secondes, mais il a ri la douleur plus loin, en disant l'anglicisme à haute voix, en riant, écrasé littéralement sous le poids de la musique, en pensant avec Peaches qu'il aurait aimé la baiser plus loin, cette douleur brûlante.

Le gars s'est éloigné, en le regardant danser, et il s'est dit que même plus loin il l'aurait baisé d'aplomb, que même plus loin il était bien plus grand que lui, que même plus loin il aurait pu lui laisser tomber des gouttes de sueur un peu partout. Le gars a continué à le regarder danser. Il a bougé de son mieux. Il a replacé ses cheveux. Il a changé son drink de main. Il souriait, et le gars aussi, en retrait, avec sa bouche, ses yeux et ses mouvements, intercalés les uns dans les autres comme des vases communicants.

Il a eu envie de le toucher tout de suite, mais ça picotait encore.

Il s'est frotté l'œil fort et ça a déplacé son verre de contact.

La chanson s'est terminée dans un climax intense de sexe et de sueur sur la piste de danse, la chanson suivante a embarqué par-dessus, et sa lentille pliée en deux s'est logée sous sa paupière. Son sourire s'est évanoui et il a dit fuck fuck fuck, sont où les toilettes ? Ben qui dansait juste à côté de lui a crié, sous le beat, quoi ? juste là au fond, ça va-tu ? Sans répondre à Ben, il a tenté de sourire au gars, mais c'étaient déjà ses muscles faciaux qui fonctionnaient au lieu de son désir, et il a eu l'impression vague et désagréable de ressembler à sa mère, à sa propre mère, paume ouverte sous la paupière, en réceptacle. Mais il ne sentait plus rien dans son œil, et il clignait pour se rassurer, fuck, dis-moi que je l'ai pas perdu. Il clignait avec un rictus, et il a vu en flou le gars tendre les lèvres vers le lobe d'oreille de quelqu'un d'autre.

Dans un réflexe de survie, il a tendu les bras vers l'extérieur, créant de l'espace comme s'il était médecin, et il a crié sous la musique, dans le visage de Ben, et aux danseurs alentour, attention, j'ai perdu mon verre de contact, attention tout le monde ! Il a rapidement créé un cercle, un vide au milieu de la piste, dont il était le centre, à genoux, en se répétant fuck, estie que je me sens tout seul, là, en se répétant fuck, man, ça arrive à tout le monde, en se répétant fuck, man, j'aurais tellement le goût de dormir en cuillère, tout en ravalant difficilement une gorgée de vomi, qui avait remonté alors qu'il se penchait trop vite.

Entre deux mouvements

ILS SONT VENUS cogner à sa porte pour la première fois il y a deux semaines, bien que cogner soit un très grand mot parce que pour parler franchement ils ont tout démoli. Sa tasse en est tombée de ses mains. Alors que tout était silencieux et tranquille et serein, voilà que le grand fracas originel s'élance : le chambranle, le cadre, l'embrasure volent en éclats. Sa tasse tombe de ses mains, et il avait mis un disque de Bach pour se détendre après sa course à pied le long des usines désaffectées parce que, se marmonnait-il, il y a tant de violence et tant de bruit dans la ville, tant de chantiers, et on s'essouffle à vouloir toujours tout faire mieux que tout le monde, et cette paranoïa, et ce besoin de plaire, alors heureusement qu'il y a Bach pour nous permettre de respirer, et je sais que je viens juste de dire que tout était silencieux, mais pour lui, Bach est comme le silence, beau comme le silence, apaisant comme le silence.

Pourtant, quand sa tasse est tombée, quand la porte s'est fracassée et que des morceaux de bois ont traversé le corridor pour venir choir à ses pieds, pendant une seconde on n'a plus du tout entendu la musique. Mais il était tellement concentré, tellement absorbé par la fugue qu'il n'a pas pu ne pas remarquer que la porcelaine s'écrasant au sol produisait un son, précisément une note, la même que celle jouée par le claveciniste au fond des haut-parleurs de sa chaîne stéréo. Il s'en est rendu compte rétrospectivement, parce que sur le coup il a ressenti un choc, parce qu'on n'échappe pas une tasse pour rien, comme ça, sans raison, parce que le son de la porcelaine sur le sol s'associant au son du clavecin s'est imprimé dans son oreille, subtilement, et que seulement plus tard l'information est arrivée à son cerveau. Sur le coup, rien qu'un grand fracas, venant se superposer à Bach, effacer Bach, alors que quelques secondes auparavant il était là, qui bougeait les doigts de façon affectée, sa tasse dans l'autre main, à la manière d'un chef d'orchestre ou d'un mélomane, quand il est seul et que Bach, les suites de Bach sont si contagieuses qu'il ne peut rester immobile et froid quand il les écoute.

Alors il bouge les doigts, et sa bouche fredonne doucement quelques notes par-ci par-là, les mesures les plus simples, parce que le contrepoint, on peut le faire avec deux mains, mais pas avec une seule bouche. Et même avec deux mains, voire quatre, ce n'est pas tout le monde qui serait capable, en tout cas ce n'est pas lui qui irait se mettre au piano pour faire du contrepoint étant donné que la musique, il n'y connaît rien, sauf certaines expressions consacrées dans le langage courant.

Entre deux moments forts, il veut prendre une gorgée, mais il n'a même pas le temps d'esquisser un mouvement que sa porte d'entrée explose au bout du corridor et qu'il reçoit quasiment sur les pieds un gros bout de bois qui s'affaisse et tangue sur un morceau de sa tasse brisée, déjà au sol. La porcelaine est éparpillée sur le plancher entre ses jambes et elle n'est plus une tasse, elle n'est qu'une matière répandue et le café a taché le bas de son pantalon, mais il ne s'en aperçoit pas, parce qu'il a gardé ses chaussures et qu'ainsi, il ne ressent pas de brûlure.

La musique reprend le dessus au moment où il distingue une main qui avance dans la lumière du corridor, s'échappant de l'obscurité de la nuit, suivie par un corps entier et un autre corps. Ils sont deux et lui est seul au milieu de la cuisine et il regarde sans comprendre ce qui se passe, et à ce moment la note et le son de la porcelaine superposés débouchent dans son cerveau et une bouffée d'esthétisme l'assaille, comme si la vie était belle et que des liens se formaient vraiment entre des éléments disparates. Mais ils ont déjà franchi l'espace et ils ont des gants aux mains, des gants en cuir, et ces mains lui font signe de s'asseoir, de s'asseoir sur la chaise, là, derrière, pendant que la fugue se termine et qu'il ne peut s'empêcher d'être tiraillé entre le fait de l'écouter attentivement et le fait d'avoir peur tout simplement et de vivre pleinement la situation comme elle se présente dans toute son originalité. Les dernières notes ont été jouées de façon si rapide qu'on dirait qu'elles ont quelque chose à voir avec les deux hommes et leur déplacement à travers le corridor, qui s'est fait si vite que c'en est difficile à croire, parce que sa tasse était à peine au sol, cassée, éclatée, le café répandu, qu'ils étaient là à le pointer de leurs gants et lui disaient de s'asseoir.

Il s'est assis sur la chaise et le plus grand des deux est allé fermer la chaîne stéréo pendant que le plus petit restait avec lui et le regardait sans rien dire en attendant que le plus grand revienne. Le prélude qu'on sentait se dessiner dans le silence séparant les deux pièces est mort dans l'œuf et il a ressenti une sorte de frustration parce que même s'il prétend aimer tout Bach il a quand même des préférences, et il a espéré l'espace d'un instant qu'ils ne resteraient pas trop longtemps pour qu'il puisse l'écouter tranquille. Mais en même temps le plus petit le regardait et en plus il le regardait avec méchanceté.

Le plus grand est revenu et le plus petit lui a jeté un coup d'œil et il a remarqué qu'aucun des deux ne semblait avoir de fusil, et qu'ils n'allaient sûrement pas le tuer puisque les tueurs tuent avec des armes à feu, à moins d'être des sadiques et, s'il se fiait au regard du plus petit, ils n'avaient pas l'air d'en être, mais il ne pouvait pas s'en assurer.

Sa tasse en mille morceaux était sur le sol et il a pensé que c'était bien qu'aucun des deux n'ait enlevé ses chaussures parce qu'il aurait pu se blesser, et quand le plus grand est revenu dans la cuisine il a entendu le grincement de la semelle sur un morceau de porcelaine et ce n'était pas agréable comme Bach, comme une fugue de Bach, mais ils étaient là et il ne pouvait rien y faire.

Quand ils sont entrés, il les a vus de loin et à ce moment-là il aurait pu réagir, peut-être aurait-il eu le temps de réagir, de se sauver par la fenêtre ou de leur jeter le café brûlant au visage et partir pendant qu'ils se frottaient les yeux en criant de douleur. Mais ils étaient là et ils lui avaient fait signe de s'asseoir et il s'était assis, alors il ne pouvait plus rien tenter parce que le plus grand est revenu, et maintenant sa main fouille dans une poche de sa veste et il a peur qu'il en sorte un couteau ou un AK-47 miniature, mais c'est une corde qu'il voit et il pense que mourir pendu doit être terrible, et jamais il n'aurait cru, même si son meilleur ami lui avait dit qu'on peut mourir pendu, que ça arrive, que c'est courant, qu'il mourrait pendu. Jamais il ne l'aurait cru, pourtant les deux hommes sont là devant lui et il est assis sur la chaise et le plus grand qui vient de sortir une corde de sa poche lui rappelle vaguement une photographie de l'archiduc François-Ferdinand qui orne la page Wikipédia des Habsbourg, à la moustache près. Il se dit qu'il devrait se lever et aller chercher le portable et qu'ils rigoleraient ensemble comme des copains, mais ce ne sont pas des copains, à en croire leur façon de le fixer sans aucune gentillesse, sans aucune compassion, alors évidemment il ne fait rien et prend une expression polie d'attente qui frise l'obséquiosité, tout en essayant de dissimuler ce qui lui trotte dans la tête, déchiré qu'il est entre la peur de se faire exécuter et l'idée diffuse qu'au fond les guerres mondiales ont toujours commencé par un microévénement dans un pays lointain et égaré, et François-Ferdinand se penche vers lui, et il croit un peu que c'est pour l'étrangler comme ça, sans même avoir discuté un brin, mais il se contente de lui attacher les mains. Il le ligote et il peut souffler tout en réfléchissant qu'il fumerait bien une cigarette.

Le plus petit, qui à bien y regarder semble le chef et commander au plus grand, se fait craquer les doigts vers l'intérieur, en continuant à le toiser, et il a l'air d'être prêt à vouloir dire quelque chose, à entamer soit un discours, soit une discussion, et il essaie d'associer son visage à un artiste, mais il ne trouve pas, sinon une lointaine parenté avec Shakespeare, que personne n'a jamais vu, mais qu'on s'imagine tous un peu comme ça, petit, cerné, une absence de sourire sur les lèvres et un air convaincu, conquérant, vainqueur.

Il semblait sur le point de parler, sur le point d'ouvrir la bouche et il a pensé que sûrement ça ne serait pas facile à entendre, qu'il avait quelque chose à se reprocher, qu'il aurait fait ou pas, sans y avoir réfléchi, sans avoir vu plus loin que le bout de son nez, et ses mains se mouillaient d'appréhension, mais il avait quand même la lucidité d'esprit de ne pas oublier que le chauffage fonctionnait et que cette porte défoncée le faisait fonctionner pour rien.

Là-dessus, le plus petit parle, il dit je m'appelle John et tout de suite après le plus grand dit moi je m'appelle James. Et comme le plus petit s'occupe à enlever ses gants, un doigt à la fois pour ne pas les retourner, le plus grand s'allume une cigarette, et il va la fumer jusqu'au filtre et la laisser tomber par terre, entre bois et porcelaine et l'écraser du bout de ses orteils enfermés dans d'immenses bottes jaunes avec un grizzli rugissant sur le côté. Il y a comme un malaise qui s'installe. Tout le monde se regarde.

Lui reste poli, sans remuer, sachant que ses paumes humides vont laisser des traces sur les bras de la chaise, et à ce moment-là Mathilde ne peut s'empêcher de m'arrêter :

— Mais non, tu as dit tantôt qu'il était attaché. Ligoté, tu as dit *ligoté.*

Et bien que je sois extrêmement perturbé par son intervention, par sa petite bouche qui s'agite au-dessus de mon épaule, je ne peux que lui donner raison. C'est vrai, quiconque a les mains attachées l'une contre l'autre ne saurait laisser des traces de sueur sur les bras d'une chaise, je le lui concède, c'est vrai. Elle en rajoute :

— Et en plus, personnellement, la chaise, je l'imaginais sans bras, je veux dire, c'est normal, la première image qui nous vient d'une chaise, c'est… En tout cas, c'est pas une chaise avec des bras, surtout dans une cuisine… À moins que ce soit un bourge dans son condo sur le bord du canal.

Je soupire, je lui dis que là, elle exagère, que je veux bien qu'elle lise à mesure que j'écris si ça lui plaît, mais que là, elle ne peut pas se permettre d'intervenir comme ça, sans scrupule, à tout moment. J'ai un rythme, j'ai une pulsion, j'ai un pouls, et elle le perturbe.

Je me lève, contourne mon bureau et me dirige vers la porte, que j'ouvre tout en me plantant dans le cadre, arborant un sourire sérieux et lui faisant comprendre que sa présence me nuit, qu'elle est donc invitée à sortir de la pièce parce que j'aimerais continuer, et que j'aimerais le faire en paix. Elle lâche un *borné,* en passant devant moi, mais ça glisse comme de l'eau sur de l'huile, et je me rassois en soupirant encore et plisse les yeux pour me retrouver sur l'écran lumineux et donc, d'accord, il ne sait pas que ses mains laisseront des traces sur les bras de sa chaise, parce qu'il ne peut pas le savoir, puisqu'il est ligoté, et que, si ses mains suent, elles le font l'une contre l'autre.

John et James reculent et se mettent à gesticuler et à s'échanger devant lui des paroles inintelligibles. Il n'entend rien et constate juste que ça a tout l'air d'un conciliabule, et que les propos, s'ils ne lui sont pas adressés, ne le concernent pas moins. Après une ou deux minutes de ce manège, ils ont eu l'air fixés et se sont mis à parler et à partir de là il n'était plus possible de les arrêter. James terminait les phrases que John commençait.

Il n'a pas tout enregistré de leur tirade, parce qu'il avait de la difficulté à les prendre au sérieux, mais il faisait l'effort concret de ne pas sourire et de concentrer son attention, pour ne pas les froisser et qu'ils se mettent à appeler Jack à la rescousse, ou Dieu sait qui, et que la réalité ne soit plus disponible en dernier recours, dans ses manifestations brutes, la pression de la corde sur ses poignets, ou le son granuleux de la porcelaine piétinée.

Ça durera encore quelque temps comme ça, pour finalement s'évanouir, et les deux le laisseront là, lui qui n'a pas écouté grand-chose, mais qui en un éclair, une fois qu'ils auront replacé la porte et délié ses mains, comprendra pourquoi ils sont venus et pourquoi ils vont revenir. Somnambule, il se lèvera pour aller remettre Bach et se plantera devant sa chaîne stéréo, retrouvant son prélude, et il fermera les yeux comme je ferme l'ordinateur après avoir sauvegardé tout ça. Et j'ai l'impression, tout en me levant pour aller m'ex- cuser auprès de Mathilde, que je tiens quelque chose, là, que j'ai découvert un petit quelque chose, là. Que ça peut m'emmener loin, comme un pêcheur avec sa petite canne en bois, tirant sur un poisson sautant et sautant hors de l'eau seulement, dirait-on, pour qu'on voie que ses écailles sont en or. Et je sais que Mathilde m'attend dans la chambre, et que je vais lui faire l'amour dans quelques instants.

Le penseur

PORTRAIT II

IL S'EST INSTALLÉ sur la galerie pour faire semblant de lire. Les filles sont sorties pour aller faire semblant de ramasser du bois. La nuit est presque tombée et la lune ronde s'est installée bien au-dessus de la cime des grands pins depuis plusieurs heures, blanche et quasi transparente.

Il allume une cigarette pour faire semblant de fumer. Au loin, à l'horizon, à la lisière, à l'orée, il voit les filles à la queue leu leu faire semblant de courir après une grenouille. Il entend leurs cris et leurs rires et il croise les jambes d'une façon féminine, pour se sentir encore plus proche d'elles.

Le livre est déposé, ouvert à une page, à l'envers, à côté de lui sur la balançoire de la galerie. Il se balance et les chaînes craquent, les vieux boulons mal huilés crissent, enfoncés dans le toit de la galerie. Il ne pense à rien d'autre qu'à un concept flou, philosophique, un peu grandiose, un peu mondain, un peu mal foutu, mais tellement adéquat dans la noirceur qui s'étend, quelque chose comme la vie et la mort, comme le sourire des humains quand ils voient des cathédrales.

Tout se mélange dans sa tête, tout s'étiole et s'annule et s'enlise, parce que le banc est confortable, et il sait qu'il a le choix entre jeter un œil à la page couverture de son livre qui traîne à côté, prendre une bouffée de sa cigarette, regarder au loin vers le lac et essayer de repérer une fille qui fait semblant de construire un wigwam, ou tout simplement cligner des paupières et se concentrer sur l'effort que ça demande.

Il tire sur sa cigarette pour penser au verbe inhaler, le faire rouler sur son palais avant de faire semblant de l'avaler.

Il a à peine le temps de se retourner, de faire pivoter son cou, que l'homoncule est sur ses genoux, grimpé, bien calé, complice de sa solitude et de son moment. C'est un petit être fait de gingembre et de cannelle, qu'une des filles a fait semblant de cuisiner plus tôt dans la soirée, plus tôt dans leurs vacances, plus tôt dans leur vie de famille, aujourd'hui même. Il a de petits yeux noisette et une bouche rieuse, et ses articulations semblent efficaces. C'est un petit bonhomme fait en racine de mandragore et en tubercule de betterave, qu'une des filles a fait semblant de lui offrir en cadeau quand ils jouaient à son non-anniversaire, plus tôt dans l'année.

Il ne parle pas.

Lui non plus.

Ils s'observent.

Il essaie d'être abasourdi, mais même son étonne-ment est enterré sous la jolie musique ambiante, parce que les feux follets, les lucioles et les grillons ont com-mencé leur sérénade nocturne.

Entre les ondes

ANECDOTE I

MALGRÉ TOUT, la chose la plus étrange qui me soit arrivée, c'est quand j'ai découvert que McCartney prononçait trois fois le mot *Internet* dans la chanson « Uncle Albert », sur l'album *Ram*. J'étais assis confortablement à une table dans un café près du square Sir-George-Étienne-Cartier quand le mot m'a sauté aux oreilles. Je buvais un mokaccino et j'avais mes écouteurs. La serveuse avait un cul hors du commun. J'étais tranquille. Le goût du café chocolaté se répandait dans ma bouche tandis que je fredonnais avec Paul. J'étais concentré sur le manuscrit de mon roman jeunesse quand est apparu ce mot qui m'a choqué. Je n'avais jamais prêté attention aux paroles, et soudainement j'entendais ce mot, cet anachronisme, cette impossibilité. J'en suis resté coi, la tasse à mi-chemin dans les airs. J'ai reculé la chanson, et encore une fois le mot. Encore une fois, au fond de la chanson, dans une des pistes de voix de McCartney, durant le refrain, on entendait très bien, très clairement *On the Internet*. J'ai levé un sourcil, j'ai regardé aux alentours pour chercher une approbation des autres clients. Après avoir remis la chanson au début, j'ai sorti un cahier de notes et j'ai écrit ce que j'entendais. Il y avait la piste première avec les voix du groupe jointes, celles de Paul et de Linda, chantant *Hands across the water, water. Heads across the sky...* Et derrière, au fond, plus loin, subtile mais limpide, celle de Paul overdubbée trois fois, qui murmurait *On the Internet, it's a fishnet.* J'ai eu peur. Je suis parti en vitesse, sans musique, dans un silence de pluie et de voitures. Tout semblait normal en ville. J'avais besoin d'un remontant. Et j'avais besoin de vérifier quelque chose. Le mot avait fait remonter une douleur, une angoisse, une intuition étrange qui m'avait saisi plusieurs années auparavant, alors que j'étais étudiant à la faculté de droit, à Leeds, et que j'allais flirter dans les pubs avec O'Brien et McPhee. On allait écouter du bop et, quand on avait trop bu, on criait à qui voulait bien nous entendre que Parker était loin d'être mort, qu'il vivait dans le métro de New York, dans les souterrains, dans les tunnels, dans le labyrinthe. De retour chez moi, je me suis concocté un gin tonic et j'ai posé mon disque d'Ella Fitzgerald sur le tourne-disque. Je me suis concentré. Mon doute s'est rapidement dissipé. Ella disait bel et bien, un peu en retrait, un peu en décalage, sur « I Loves You Porgy », *Just google me*.

Tout en douceur

J'AI TOUJOURS ENTENDU ÇA. Doucement, me disait-elle, comme justement j'allais frapper si fort qu'on m'aurait entendu jusque là-bas. Elle ressemblait à une espèce d'ange cachottier, cherchant à m'apaiser, sans jamais y parvenir parce que je savais, je n'en doutais pas une seule seconde, qu'elles étaient rognées, ses ailes, souillées par une salive étrangère. Elle ouvrait grand ses yeux pleins, pas vraiment de colère, mais de quelque chose d'approchant. Elle les ouvrait pour me regarder faire, pour me dire ne va pas par là. N'y va pas. C'était pour me dire *n'y va pas* et ça décuplait mon envie d'y aller, de dépasser les limites. Et mes faits et gestes, ils n'étaient pas lyriques, quand je me tenais là, et elle là, et qu'on allait se rentrer dedans. Que j'allais lui rentrer dedans. Ses yeux frisaient la colère, alors je m'imaginais ce qu'elle pouvait bien voir dans les miens, ce qu'elle y lisait, dans mes yeux. Sûrement, ça ne devait pas être beau. Ça ne devait pas la rassurer sur ce que j'allais faire. Mais peut-être qu'elle s'en foutait aussi. Peut-être qu'elle n'avait pas peur.

Ça, jamais elle ne me l'aurait dit, même si je sais, et elle encore plus, que j'ai la cogne dure. Jamais elle ne m'aurait dit arrête, j'ai peur ou quoi que ce soit. Non, plutôt sauter, esquiver, et tâter de la colère dans le regard. Elle se contentait de feindre, j'en suis persuadé, cette sorte d'assurance froide qui s'effritait automatiquement quand je lui tournais le dos. Persuadé. Je lui tournais le dos et elle pleurait. Parfois, j'allais même jusqu'à entendre des sanglots et, si vivement je pivotais pour vérifier, c'était de nouveau le concert de fierté et de maintien. Pour prétendre que je ne l'atteignais pas. Et c'est ce qu'il y avait dans ses yeux réellement, cette sorte de petite lueur qui disait tu peux dire ce que tu veux, j'ai une carapace, une armure, ça coule sur ma tête et sur mon dos et sur mon ventre sans laisser de traces. Il y avait de ça, dans ses yeux, mais moi, ce qui m'intéressait, c'est ce qu'il y avait derrière. Derrière sa couche d'huile imperméable. Parce que c'était faux, c'était inventé sur mesure pour l'occasion, cette façade, c'était en carton, ça ne tenait pas la route. Mais jamais elle n'aurait fait un pas vers l'arrière, jamais elle n'aurait cédé un seul centimètre de terrain. Moi, j'en remettais, je m'emballais vraiment, et je lui crachais tout ce que je pensais, je lui vomissais tout ce que je savais.

Surtout quand, de sa bouche, suintait son *doucement,* quand elle le chuchotait. Parce que ça ne faisait qu'augmenter ma rage qu'elle le chuchote et tout le monde sait qu'elle connaissait mes faiblesses. Alors je sortais de mes gonds. Mes gonds, ça ne valait même plus la peine d'en parler, ou d'en faire l'éloge, ou d'en médire. Je sursautais, comme pris d'un fou rire, mais ce n'était pas ça, et, presque, physiquement, il en fallait de peu pour que je me voie en train de l'étriper. Jamais je ne l'aurais touchée, même eux le savent, mais son *doucement,* il me faisait oublier les limites, celles-là mêmes qu'il était supposé me rappeler. C'est l'étriper que j'aurais fait volontiers, dans ces moments-là. Jamais je ne l'aurais étripée, mais je l'aurais fait volontiers. Je l'aurais étripée, avec quasiment du plaisir.

Alors quand elle me sortait quelque chose du genre tu délires, tu es sur le bord de la névrose, avec sa voix fluette et suave de bonne sœur irréprochable, vous comprenez que je ne me pouvais plus, que j'avais l'envie évidente de la tuer, simplement, là, droit devant, et que ma voix ne se reconnaissait même plus elle-même, dans un trop-plein de bile et d'écume. Jamais, je le répète, je ne l'aurais touchée, mais de la voir comme ça me voir dans une telle fureur, et me résister, ça me démangeait à plein d'endroits à la fois.

Qu'elle me contredise sans arrêt dans ce que je savais trop bien, qu'elle me nargue carrément, là, debout, les bras légers de négation, sans aucune trace de remords pour toute la peine qu'elle me causait, et j'explosais. Et ces coups de téléphone où tu murmures, et ce petit tiroir qui est toujours fermé à clé, et ces soi-disant sorties entre filles, et ces yeux fureteurs, et ces cheveux et ces seins et ces hanches si impossibles à dissimuler et que tu garroches au visage de tous les hommes que tu peux bien croiser en léchant les vitrines, que je lui hurlais, sans que rien cloche jamais dans son argumentation calme et froidement mathématique.

Que tout ça se combine, dans ses yeux si grands, ça me catapultait littéralement sur elle pour essayer de déchirer son infaillible maîtrise. Je sentais les mains de l'un posées sur son pubis frémissant, et les lèvres de l'autre embrassant son nombril. La pièce rétrécissait, surchauffait, ce n'étaient jamais mes mains sur elle, et elle a fait un mouvement très simple, très lent, un peu comme ma mère, pour me rassurer et me prendre dans ses bras et m'étreindre et me dire ça va, ne t'inquiète pas, tu n'es pas en train de mourir, il te reste plein de beauté à faire, mais sur le coup je n'ai pas compris, peu importe de toute façon. Ses mains se sont tendues, paumes offertes, et je n'ai pas compris que ça voulait me dire je me rends, d'accord, on arrête tout ça, les combats et tout, et peut-être que j'ai compris après tout, que ça sous-entendait qu'elle me donnait raison, qu'elle se les était tous faits les uns après les autres, ou tous en même temps, pourquoi pas, tant qu'on y est. Et je les ai attrapées, ses mains, et je ne les ai plus lâchées, jusqu'à ce qu'elle luise, immobile, sur le sol, et qu'elle se mette à coaguler. Et je ne saurais pas dire que je regrette, je ne saurais pas le dire, je ne sais pas trop pourquoi, je ne pourrais pas dire devant vous je regrette, je regrette de ne pas l'avoir crue, de ne pas lui avoir donné une chance ou, comme on dit, le bénéfice du doute, même en la regardant refléter la lumière, étendue comme ça, sans vie, en dessous de mes genoux qui l'écrasaient, et qui à un moment donné ne lui faisaient plus mal. Pour toutes sortes de raisons, je ne sais pas, je ne saurais pas, je ne saurais pas le dire, parce qu'elle était trop belle, c'est impossible, elle était trop belle.

La borgne

ELLE PENSE que la seule chose à garder en tête, théoriquement, c'est de toujours s'aligner un peu plus à gauche qu'on le veut en réalité, histoire de ne pas se mettre à faire des cercles, à tourner en rond, sur place, autour d'un point imaginaire dont on serait le périmètre, ou la chèvre de Seguin.

C'est comme quand tu essaies de tracer une ligne droite sur une feuille de papier : idéalement, tu exerces une mini pression vers le haut avec ton poignet, parce que sinon ta ligne va inévitablement descendre. C'est comme ça, c'est la même chose avec mon œil, elle se dit si je ne m'aligne pas toujours un peu à gauche de ma destination, je vais juste bifurquer, bifurquer, bifurquer, jusqu'à ce que je devienne une toupie.

Elle pense que ce n'est pas la fin du monde, qu'il y a la malaria, ailleurs, la famine, et les aliments transgéniques. Elle pense que certaines populations sont obligées

71

de manger des épis de maïs qui finissent avec des petites têtes de poissons au bout. Le gars de Greenpeace au métro Sherbrooke le lui a dit hier matin.

Elle pense que ce n'est pas la fin du monde d'avoir un œil de verre, comme le gars de Dominique et Martin, un des deux, le petit. Quand tu le regardes ne pas te regarder, tu ressens la même chose que dans une nouvelle d'Edgar Allan Poe, genre tout est normal jusqu'à preuve du contraire, et soudain. Elle a mis un disque de Tom Waits qui chante *in the land of the blind, the one-eyed man is king,* et elle se sent effectivement un peu royale, un peu sang bleu, avec son œil éclaté, remplacé, manufacturé. Surtout quand elle constate à quel point les gens partout en ville ont l'air d'être aveugles, littéralement, comme dans ce livre de Saramago, et il n'y a pas de morale, pas de leçon à tirer, c'est juste quelque chose qui arrive, qui survient, comme les oiseaux dans le film de Hitchcock. Les oiseaux *arrivent,* au sens d'un évènement, c'est tout.

Ce n'est pas la fin du monde. Ils ont déjà retiré son bandage il y a plusieurs jours et lui ont montré, grâce à un miroir, à quel point elle a l'air presque normale. Ce n'est pas la fin du monde, elle va s'y faire. Ce n'est pas comme si elle mourait de faim au milieu d'un lac ensorcelé, comme dans ce mythe grec où, le pauvre, tout est à sa disposition, mais quand il se penche l'eau du lac disparaît et quand il lève la tête la branche du pommier remonte hors de sa portée.

Après tout, ce n'est qu'un œil éclaté, crevé, percé comme un jaune d'œuf, qu'elle essayait désespérément de retrouver sur le trottoir, en face du Saphir, comme si on pouvait retrouver un œil. Elle revoyait la fille se sauver en courant et tourner dans la petite ruelle qui mène sur Saint-Dominique, en arrière. Elle la revoyait laisser tomber le tournevis étoile, son arme du crime qui aurait pu la tuer. Ça aurait pu être bien pire aussi, on lui a dit que le tournevis avait manqué son cerveau d'à peine un millimètre.

On lui a demandé si elle la connaissait, elle a pensé reste positive. On lui a demandé si elle sentait quelque chose, si elle avait mal, quand ils appuyaient ici. Et ici. Et là. Et elle a pensé reste positive, tu aurais pu naître en Palestine, ou dans un camp de *Jesus freaks* dans le sud des États-Unis. On lui a demandé ce qui s'était passé, avant que la fille sorte le tournevis, et elle a pensé à un petit blanchon massacré sur la banquise par un Madelinot sanguinaire, à un petit blanchon dans les bras de Paul McCartney et de Brigitte Bardot. Dans sa tête, elle le voyait avec ses deux yeux.

Elle pense que ce n'est pas la fin du monde, parce qu'elle n'a qu'à fermer les yeux, n'importe quand.

Et quand elle veut se rendre d'ici au comptoir de la cuisine, pour aller chercher le Windex, parce qu'en gossant sur sa plaie encore molle, elle a fait gicler le pus dans le miroir de la salle de bain, quand elle veut se rendre d'ici à là-bas, elle s'aligne un peu à gauche, histoire de ne pas dériver, dériver, dériver.

Le clavier bien tempéré
ANECDOTE II

MALGRÉ TOUT, la chose la plus étrange qui me soit arrivée, c'est quand j'ai voulu écrire le premier chapitre de mon prochain roman pornographique et que, sur le clavier de mon ordinateur, tout à coup les lettres étaient dans le bon ordre. Ce n'était plus : QWERTY, etc., mais bien ABCDEF, etc. Je m'étais réveillé, ce matin-là, de fort bonne humeur. Le radioréveil avait joué, sans animateur ni plaisantin aux cheveux léchés qui fait des blagues de bipolaire, « I'm Gonna Kill That Woman », de John Lee Hooker, et la cafetière glougloutait, parce que je n'avais pas oublié, la veille, de régler la minuterie. Je n'avais pas oublié. Je suis allé à la cuisine, tout de suite après m'être débarbouillé le visage, et je me suis versé un café frais. J'étais dispos. L'inspiration pour cette histoire que je m'apprêtais à fixer m'était venue la veille. Sur Notre-Dame, j'avais croisé une femme d'un noir d'ébène, extrêmement attirante. Elle portait des jeans taille basse et son décolleté me regardait. Elle m'avait bombardé. Son nombril, ses omoplates, je la voyais de tous les côtés à la fois, à la manière d'un peintre cubiste. Je la déconstruisais. Je n'avais besoin de rien d'autre, à l'époque, pour me remettre sur la voie de l'écriture, que d'une jolie femme et d'un nombril vibrant, comme en accéléré. Le dialogue s'était illico enclenché dans ma tête, et j'étais allé me coucher ce soir-là avec dans le bas-ventre une raideur qui augurait bien. J'ai toujours écrit le matin. J'ai toujours eu une discipline exemplaire. Or donc, je me suis installé à l'ordinateur et j'ai constaté que mon premier mot, qui devait être *Quelques,* se retrouvait sur l'écran avec cette orthographe étrange : *Agcsagcl.* Mes yeux ont cherché leur profondeur de champ quelques secondes, écarquillés et dubitatifs. Je me suis frotté le visage avec les mains. Tout en appuyant sur backspace, je me répétais ce mot absurde, *agcsagcl, agcsagcl,* qui sonnait comme une incantation kabbalistique. Ça me rappelait étrangement ma jeunesse, quand Lévy, Schlomo et moi, on allait à la track de chemin de fer pour lancer des roches, sur lesquelles on avait craché au préalable, dans les fenêtres du wagon de première classe, là où les bourgeois jouaient au bridge en buvant des sherrys. J'ai compris qu'il y avait quelque chose d'anormal quand j'ai baissé la tête pour regarder le clavier. Toutes les lettres étaient en ordre, se suivaient, dans un alphabet impeccable, scolaire, distant et inutilisable. J'ai bondi de ma chaise dans un sursaut d'effroi, éloignant mes mains le plus possible de cet alignement trop familier.

Au loin, dans l'autre pièce, la radio continuait sans animateur, sans discussion scabreuse à propos du comportement des seins de Julie Payette en apesanteur, jouant une chanson magnifique de Frank Sinatra. Ça jouait «I've Got You under My Skin», ça m'a piqué sous les vêtements, et j'ai senti l'odeur du café qui commençait à se caraméliser.

Le long de la ligne
ERRANCE I

PEUT-ÊTRE que tu l'as déjà vu. Mais bien sûr, tu sais, il fait l'aller-retour sur la ligne orange, il change de wagon à chaque nouvelle station. Quand il est rendu à Côte-Vertu, il change de direction, revient vers Montmorency. En une journée, il passe quinze fois, vingt fois, de Ville Saint-Laurent à Laval et vice-versa. Il a une canne, ou une béquille, sa carte de métro est accrochée dans son cou. Il fixe le vide, toujours, ne s'adresse à personne en particulier, sa langue sort un peu de sa bouche. Il dit quelque chose que tu as de la difficulté à bien comprendre, mais que tu déduis, quelque chose comme « argent s'il vous plaît, manger. » Il le répète très fort, sa voix est perçante, désagréable, floue. Il passe devant toi et devant les autres personnes assises et ne s'arrête pas vraiment pour quêter, il passe presque rapidement, en titubant sur sa béquille, ou sa canne. Le principal but de sa marche, on dirait, c'est de traverser le wagon avant d'arriver à la prochaine station, pour sortir et pénétrer tout de suite dans le prochain. Tu regardes par la fenêtre, dans l'autre wagon, et tu constates qu'il fait la même chose. Il passe près des gens, qui se poussent pour lui céder le passage, se collant les uns sur les autres. La plupart du temps il est déjà prêt à sortir, attendant devant la porte, bien avant que le train ne ralentisse.

Une fois, il est presque tombé sur toi, parce que le métro s'est arrêté brusquement. Il regardait dans le vide encore et toujours. Tu ne l'as jamais vu regarder quelque chose d'autre.

Chaque fois que tu le vois, tu te mets à calculer dans ta tête combien de wagons il doit traverser avant de revenir en sens inverse et repasser par ici, devant toi. Tu calcules le nombre de stations qui te séparent de ta destination. Quand il passe devant toi, tu deviens sérieux soudainement et tu détestes voir ces adolescents qui ont un petit sourire en coin, méprisants.

Il est fou, sans aucun doute, même si tu n'es pas certain de connaître la bonne définition de ce mot. Il est complètement ailleurs, déconnecté. Mais en même temps il quête, il répète sa phrase, il ne se promène pas sans but dans des ruelles, il est là, à faire toujours le même trajet, sa bouche pendante et sa langue molle. Il est tout le contraire d'un itinérant. Sa journée est réglée au quart de tour.

Tu te demandes pourquoi il ne s'arrête jamais devant quelqu'un pour lui demander personnellement un peu de monnaie. Il ne l'a jamais fait avec toi, tu ne l'as jamais vu faire ça. Il parle fort, tu l'entends toujours malgré le son de ta musique. Quand il entre dans le wagon, il y a toujours un malaise qui s'installe. Les gens baissent les yeux, ou les ferment, ou les détournent.

Une fois il est presque tombé sur toi. Tu l'as soutenu, pour l'aider à se relever, et tu t'es lavé les mains le plus tôt possible ensuite. Tu n'as jamais vu quelqu'un lui donner quoi que ce soit.

Tu ne lui as jamais rien donné.

Sur le bout de la langue

Toutefois, c'était un mot dont la compréhension écla-
tait comme si d'un moment à l'autre il allait se mettre
à chanter son propre sens.

CLARICE LISPECTOR
Le lustre

C'EST SURTOUT cette statistique qui l'intrigue. Le taux de suicide si élevé. Elle se dit que ça l'intrigue, mais c'est plus que ça. C'est quelque chose comme un vide. C'est un sentiment de vide spirituel qui l'assaille, quand elle se promène dans les rues, quand elle rencontre des gens. Parfois elle a l'impression que les gens sont gris, qu'ils sont en noir et blanc. Une fadeur. Elle ne les juge pas, c'est quelque chose qu'elle ressent, et c'est difficile à exprimer. Elle peut le dire en portugais, mais le seul qui va comprendre c'est Caio et elle est certaine qu'il ressent la même chose. Même si Caio ne croit pas aux mêmes choses qu'elle. Elle se dit que ça n'a rien à voir avec la croyance, avec la foi, c'est une ambiance. C'est diffus, mais c'est dans l'air. Elle commence à avoir envie, une fois sur cent cinquante mille, de prendre une assiette et de la lancer sur le mur de la cuisine. C'est une envie qui la prend, une journée parmi d'autres, et à laquelle elle ne cède pas. Cent cinquante mille fois plus tard, elle va revenir et on verra.

La plupart du temps, ça va bien.

Même la neige, la première neige mouillée qui est tombée avant le mois de novembre, elle l'a accueillie avec un sourire dans sa fenêtre. Son reflet, perché au-dessus de la ville, en bas, avec un doigt qui ne touche pas la vitre, mais qui sent le froid de l'autre côté, le froid qui a envie de pénétrer à l'intérieur. Elle a senti ce froid qui se mélangeait avec la chaleur montante du calorifère et elle a souri.

Elle connaît plein de gens extrêmement gentils. C'est l'adverbe qu'elle utilise quand elle les décrit au téléphone à cette voix chaude, maternelle, qui est à vingt millions de kilomètres : *extremamente.* Des gens qui les ont aidés à s'installer, à trouver un logement bien, qui leur ont fait confiance tout de suite. De belles personnes. Plusieurs de ses collègues étudiants dans les cours de français habitent à L'Île-des-Sœurs, dans d'immenses tours d'habitation brunes qui commencent à ressembler à des centres communautaires colombiens, ou vénézuéliens. Elle et Caio ont trouvé un quatre et demie à Saint-Henri, pas très loin du Marché Atwater, avec de vieilles armoires et des portes qui ferment mal.

Son téléphone sonne trop souvent. Quand elle répond, c'est un mauvais numéro, c'est presque toujours un mauvais numéro. Une voix d'homme, créole, le son de la circulation en arrière-plan.

La neige, bien installée, ne lui rappelle rien, ce n'est pas une chose à laquelle elle s'identifie, c'est une chose sur laquelle repose cette nouvelle identité qu'elle essaie de construire. Elle a vu d'autres gens faire ça, elle n'est pas la seule : sortir dans le froid juste pour sortir. Pour rencontrer le froid et le connaître. Quand on lui demande si ça va bien jusqu'à maintenant, elle répond que les vêtements d'hiver sont très beaux. Et c'est vrai, elle trouve que les manteaux et les bottes et les tuques et les foulards et les mitaines sont de belles pièces de vêtements. Ça rend les gens beaux. Elle trouve aussi qu'avoir les joues rouges et la bouche gelée, c'est drôle un peu. Quelqu'un lui a dit que la langue pouvait rester collée sur du métal, elle en parle avec Caio, en haussant les sourcils, comme incrédule.

Elle voudrait mettre un gigantesque accent tonique sur certains mots en français qui ont l'air mort. Comment ça se fait qu'il n'y a pas d'accent tonique sur le mot *magnifique* ou sur le mot *sublime*? Comment ça se fait que les Québécois ne sont pas des personnes qui parlent avec les mains? Comment ça se fait qu'ils parlent avec les mains dans les poches? Il paraît que dans le nord du Québec, quelqu'un lui a dit ça, il paraît que le taux de suicide est encore plus élevé. Le plus élevé du monde. Elle en a parlé avec une Roumaine, qui lui a répondu qu'elle comprenait tout à fait ce qu'elle voulait dire, qu'elle comprenait son sentiment. Elles se sont regardées : ça veut dire quoi ? Est-ce que c'est possible d'exprimer ça ? Qu'il y a une énorme différence entre un pays qui étouffe sous la violence, sous le trafic de drogue, sous les gangs, sous les coups de feu et la pauvreté endémique, les meurtres et les guerres fratricides, entre un pays comme le sien et un pays où on se suicide autant. Comment est-ce qu'elle peut exprimer ce genre de malaise ?

Ce n'est pas elle qui voulait venir. Elle avait ses amis, sa famille, une carrière qui commençait. Caio avait eu une proposition intéressante dans le milieu des jeux vidéo. À Montréal ça explose. Caio avait insisté. Imagine : plus de pollution. Plus d'embouteillages. Plus de surpopulation ni de bidonvilles qui poussent jusque dans la forêt vierge. Elle se dit que c'est le mot le plus bizarre du monde : *immigration.* Elle se dit que c'est peut-être le mot dans le monde qui dit le moins de choses sur ce qu'il veut dire.

La première feuille rouge qu'elle a vue, elle était vraiment jolie. Elle en a ramassé une par terre et, quand elle a relevé la tête, il y en avait partout. Juste à côté de l'université, où elle apprend le français, il y a un haut mur de briques couvert de lierre qui est devenu rouge en une fraction de seconde. Les couleurs, ce sont les premiers mots qu'on apprend dans une langue, et quelques semaines plus tard tout est blanc.

Elle a du mal à y croire mais, avant-hier, sa voisine d'en dessous, qui est aussi sa propriétaire, une femme extrêmement gentille et accueillante, est sortie en même temps qu'elle à sept heures et n'a pas trouvé sa voiture, sous la neige. Elles ont pouffé de rire ensemble. Pour rire, elle a sacré, comme ça, gratuitement, elle a dit câlisse, Pierrette, elle est où, ta voiture ? Avec sa meilleure imitation de l'accent. Et elles ont ri vraiment fort. Elle a raconté ça en classe et son professeur lui a dit qu'on appelait ça *enseveli.* La voiture de Pierrette était ensevelie. Il a fait une phrase au tableau avec son histoire, pour expliquer l'imparfait.

À Recife, avant de partir, quand elle revenait du travail, elle priait. Elle attendait une forme de confirmation. Le processus était déjà commencé, mais elle n'était pas encore convaincue. Caio était enthousiaste. Tout l'enthousiasmait : les ateliers de préparation, les initiations à la langue, les vidéos de promotion avec le Château Frontenac, la Grande Bibliothèque et le fjord du Saguenay, les perspectives d'emploi. Il lui manquait quelque chose pour la convaincre que c'était la bonne décision.

C'est arrivé le jour où elle avait remis sa démission, quelques semaines avant leur départ. Elle s'était mise à pleurer dans la voiture, en pleine heure de pointe, bloquée dans un bouchon de circulation.

Un gamin a traversé l'autoroute en courant entre les pare-chocs. Un autre. L'un poursuivant l'autre, riant, tapant parfois avec la paume de la main sur un capot trop brillant. Il devait faire trente-huit degrés à l'ombre, sa climatisation fonctionnait à plein régime. Les voitures avançaient lentement. À côté d'elle, une jeune femme se limait les ongles, le volant entre les deux genoux. Le trafic s'est allégé, elle est rentrée à la maison, en préparant son sourire.

Derrière les barrières de sécurité de son immeuble à logements, à l'intérieur du périmètre électrifié que les résidants, en coopérative, avaient payé ensemble, un homme a ouvert la portière du côté passager et s'est engouffré dans la voiture alors qu'elle s'apprêtait à couper le moteur. Il lui a planté un pistolet sur la joue et lui a dit nerveusement de laisser le moteur tourner, de reconduire la voiture dans la rue sans faire de scandale. Il chuchotait avec le genre de chuchotement qui crée beaucoup de salive. Il n'arrêtait pas de regarder derrière lui, vers la tour d'habitation. Il lui a expliqué qu'en ce moment un deuxième homme dévalisait son appartement et qu'elle et lui allaient tranquillement, doucement, sortir dans la rue attendre qu'il ait terminé. Il lui a dit qu'ils allaient prendre la voiture et probablement la tuer aussi. Une voix nerveuse. Elle s'est aperçue qu'il avait le hoquet. Il s'est tenu bien droit à côté d'elle, le fusil entre les cuisses, quand ils sont passés par la barrière. Les arbres étaient lumineux comme après une averse, laissant filtrer une lumière chaude. Il lui a remis le fusil dans le visage, une fois dans la rue. Elle a immobilisé la voiture avec des mouvements conscients, soignés, comme si elle repassait son examen de conduite. Ses mains tremblaient quand elle a ouvert son sac à main pour lui donner son portefeuille. C'était étrange, il reniflait constamment, il hoquetait, il était en sueur, mais il ne l'insultait pas, il ne jurait pas. On aurait dit qu'il avait de la difficulté à la regarder. Il a attrapé le sac à main violemment, brisant une couture. Ses trucs de maquillage sont tombés sur le siège et sur le plancher de la voiture. En ouvrant le portefeuille, il a eu un tic tellement prononcé dans le visage que la peur qu'elle ressentait s'est presque transformée en terreur. À ce moment-là, elle a failli crier. Il a senti qu'elle était sur le point de perdre le contrôle et ça l'a fait sourire. Une dentition parfaite, blanche, une peau foncée, le front déjà ridé. Il devait avoir à peine vingt-cinq ans. Il lui a demandé si elle avait de la musique, histoire de calmer l'atmosphère. Pendant qu'il empochait ses cartes de crédit. Avec le canon du pistolet, il a poussé sur les boutons de la radio.

Elle croyait en Dieu et y croit encore maintenant. Ce n'est pas une façon d'interpréter ce qui est arrivé ce soir-là, c'est une façon de le vivre et de le transmettre. C'est comme ça qu'elle l'a vécu. Et si les gens lui demandent pourquoi elle est partie du Brésil, elle peut leur décrire le visage de cet homme quand il est sorti de sa voiture et qu'il a convaincu l'autre de la laisser tranquille. C'est comme ça que c'est arrivé.

Il a appuyé sur les boutons de la radio et la chanson a commencé, une belle chanson mélancolique et spirituelle. Après une ou deux mesures, le chanteur a prononcé son premier vers. Elle s'est mise à pleurer en silence. La rue était déserte, le soleil perçait un peu partout la ramure des hauts arbres. Il a reniflé, en levant les yeux vers ses yeux à elle pour la première fois, lui a demandé ce qui jouait. Elle le lui a dit. C'était un CD qu'elle écoutait depuis toujours. Il lui a dit que ce que le chanteur racontait, c'était sa vie à lui. Son visage était comme attaqué par des tics. Ses yeux étaient rouges, comme s'il n'avait pas dormi depuis trois jours. Après deux autres chansons, elle l'a vu très clairement remettre le cran de sûreté sur le pistolet d'un mouvement assuré et s'enfoncer le pouce et l'index dans les yeux en poussant fort, en soupirant. Il l'a regardée encore. Il lui a dit qu'il n'allait pas la tuer, qu'il n'allait pas voler la voiture, qu'il allait sortir et attendre que son ami revienne. Qu'après, elle allait pouvoir rentrer chez elle. Qu'elle pouvait arrêter de pleurer maintenant. Que c'était terminé.

Elle secoue la couche de neige avec sa mitaine cousue et s'assoit sur un banc du parc, en face de la fausse statue de Jacques Cartier. Dans la clarté vraiment belle qui s'en va en tombant sur les immeubles, dans cette lumière qui coupe le monde en deux, elle a un mot sur le bout de la langue. Elle se sent prisonnière de ce mot qui la ramène là-bas, si beau en même temps, ce mot qui l'enrobe, qui danse autour d'elle et lui caresse l'échine. Elle pense : il y a ce mot dans ma langue et sur ma langue et je ne peux pas le dire, je ne peux pas le leur dire, à tous ces gens extrêmement gentils, à toutes ces personnes extrêmement accueillantes, je ne peux pas leur faire comprendre. Il y a ce mot dans sa langue et sur sa langue qu'elle a envie de prononcer, comme une caresse chaude sur la neige de Montréal.

Saudade.

La hipster

PORTRAIT IV

E N REVENANT de la salle de bain, elle s'est installée sur la chaise et a glissé ses jambes sous la
nappe. Son frère était juste à côté, qui racontait
une blague vraiment physique, avec l'aide de son visage
et de ses mains. Devant elle, sur la table, il y avait une
coupe, et elle a pointé la bouteille avec son doigt fin, sans
dire un mot, pour qu'un jeune homme quand même
beau s'approche, avec un costume quand même beau
et quand même élégant, et lui verse du vin rouge. Elle
l'a remercié du coin de l'œil et de la bouche.

Des oncles et des tantes étaient répartis à plusieurs
tables, avec des cousins et des gens. Une fille d'à peu
près son âge n'arrêtait pas de la fixer de l'autre bout
de la salle. Elle a cru pendant un instant que c'était sa
réflexion dans un miroir, mais non, parce que la fille s'est
levée, s'est approchée et est passée tout droit pour aller

finalement embrasser un de ses oncles qui se trouvait juste derrière elle.

Il y avait une trace de gloss sur sa coupe de vin et elle l'a frottée avec son pouce pour l'étendre en se disant fuck off, fuck off.

Son frère avait un rire d'homme, malgré ses dix-sept ans. Parfois, sa voix redevenait aiguë quand il parlait, mais jamais son rire. Il riait en montrant ses dents, comme vraiment sincère. Elle l'écoutait rire et son verre était vide encore une fois, alors elle a fait revenir le serveur quand même beau et il lui a souri en lui disant que la bouteille était déjà ouverte, juste là, qu'elle n'avait qu'à se servir. Il s'est penché dans son décolleté, mais il la regardait à la hauteur des joues et des boucles d'oreilles. Elle a dit oui, excusez-moi, oui oui. Elle s'est rendu compte que c'est la bouteille pleine qu'elle avait pointée plus tôt et, maintenant qu'elle était ouverte, juste là, elle n'avait qu'à se servir, et elle s'est servie.

Elle buvait ses gorgées en regardant aux alentours, mais quand la coupe était sur la table elle regardait en face. Elle a rincé son fond de rouge avec un fond de blanc. La bouteille de blanc a dégoutté sur la nappe, mais fuck off.

Son frère riait comme un homme et, devant elle, ses parents étaient mariés depuis vraiment longtemps.

Elle avait mis cette robe-là parce que Stéphanie et elle avaient réglé la question en quelques minutes. Stéphanie l'avait aidée à la zipper dans le dos en disant que Snoop était éminemment plus cool qu'Eminem. Elle avait répondu que la seule poésie acceptable de nos jours s'écrivait en **Helvetica bold**. En vérifiant si ses boucles d'oreilles matchaient, Stéphanie avait dit qu'elle aimait uniquement les gens qui tapaient son nom au complet, *Stéphanie Goyette,* dans la barre Google. Elle avait répondu qu'elle aimait uniquement les gens attendris comme des petits cubes de porcs marinés.

Elle a ri dans sa coupe de vin en y repensant et son frère a fait semblant de lui donner une immense tape dans le dos pour éviter qu'elle ne s'étouffe. Il y avait de la famille partout autour et des sentiments qui volaient plus haut que le trou, et ses parents s'aimaient depuis vingt-cinq ans. Plus même, si on comptait la cour, la séduction, le flirt, et toutes ces choses qui lui donnaient envie de se plaindre à quelqu'un parce qu'elle découvrait plusieurs mouches en même temps dans son gaspacho.

Mafia

ANECDOTE III

MALGRÉ TOUT, la chose la plus étrange qui me soit arrivée, c'est quand j'ai retourné mon PlayStation 2 au magasin parce que le lecteur DVD ne fonctionnait pas et qu'on s'est rendu compte que ma lentille, c'était un diamant. L'employé du Zellers de la Place Alexis Nihon m'a regardé avec juste un œil, comme s'il en avait juste un, et il est allé dans l'arrière-boutique en me disant d'attendre. Il m'a fait un signe avec un doigt levé. J'étais fatigué cette journée-là, ça faisait plusieurs mois que je planchais sur mon troisième livre de contes maltais. Mes recherches avançaient lentement, j'avais des difficultés de concentration, mon écran d'ordinateur m'envoyait des pixels trop brillants, comme un vieux jeu de Lite-Brite. Le gars a ouvert la machine devant moi, d'une ou deux mains expertes, il en a observé les entrailles durant quelques secondes, il a figé comme s'il venait de s'apercevoir qu'il jouait avec de la nitroglycérine. Il m'a regardé avec son œil et il m'a dit d'attendre. Je l'ai vu se diriger vers l'arrière-boutique. Il m'a laissé là, devant le comptoir, avec mon PlayStation éventré, mais il est revenu presque tout de suite avec un autre gars qui avait l'air d'un Russe ou d'un Ukrainien, un gars avec une mâchoire proéminente et des sourcils vraiment blonds. Les deux se sont mis à discuter au-dessus de ma machine, et le Russe a sorti un truc qu'on voit dans les films, pour observer les pierres précieuses. Ils discutaient dans une langue slave que je n'ai pas encore apprise, mais j'ai le temps. Ça me rappelait étrangement cette époque, quand j'étais petit et que Jésus, Pablito et moi, on faisait semblant de fabriquer des plans pas très catholiques pour voler l'argent dans le sac à main de la grosse coiffeuse sur le coin de l'Avenida de Las Flores. Il y avait toujours des conciliabules, comme ça, sur un des viaducs décrépits près de l'immense échangeur. Tout de suite après, Jésus ou moi, on faisait semblant de ne pas faire exprès de laisser tomber une grosse roche sur l'autoroute en dessous. Pablito s'exclamait, les deux mains dans le visage, la bouche en trou de cul : *locos!* J'avais à peine dormi la veille, je leur bâillais littéralement dessus. Il y avait cette phrase qui m'empêchait d'avancer dans mon histoire, qui me bloquait, qui me donnait des tics juste à y penser. Ça faisait déjà deux semaines que je n'arrivais pas à dépasser cette phrase, écrite à moitié sur mon écran. J'étais dans un état de fatigue avancé, à cause de tout ça, les lettres, le mauvais café, mon PlayStation qui venait de me lâcher en plein au milieu d'un bon film, quand les deux ont levé la tête et m'ont dit que la lentille n'était pas vraiment normale. Le Russe était un joaillier amateur. Il m'a répété trois fois avant que je comprenne que la lentille était en diamant. Il disait et redisait *dayamonde, dayamonde,* en touchant une protubérance sur sa poitrine, qui avait l'air d'un fusil, en se mettant à chuchoter chaque fois. C'est pour ça que je ne comprenais rien, mais quand j'ai fini par comprendre j'ai voulu prendre mes jambes à mon cou et courir vers la sortie. Et pourtant, j'étais figé dans le béton du plancher. Autour de moi, dans le magasin, il y avait des rabais partout. Les prix n'arrêtaient pas de baisser.

S'enfarger dedans

ERRANCE II

MAIS OUI, tu sais de qui je parle. Elle est toujours assise dans sa chaise, dans un des couloirs de Berri-UQAM, soit du côté de Saint-Denis, soit du côté de la Place Dupuis, juste devant les portes du terminus d'autobus. Elle ne bouge pas. Dans ses mains, il y a une cannette avec une fente sur le dessus. Tu lui donnes environ soixante-cinq ans, peut-être plus, peut-être moins, c'est difficile à dire dans sa condition. Ses cheveux noirs sont toujours attachés en une queue de cheval serrée. Ses yeux sont vides, son sourire n'existe pas. Elle a de tout petits pieds qui, dirait-on, se regardent l'un l'autre.

C'est une chaise roulante. Elle est assise là-dedans toute la journée, et elle reste immobile dans son couloir tout éclairé par des néons gris. Parfois, quand tu passes, elle est tout près des musiciens qui tapent sur leurs tambours et soufflent dans leurs flûtes de pan. Elle est tout près, mais ne semble pas les écouter ni même les entendre. Elle est tout près, mais à l'écart, avec sa petite cannette de métal entre les doigts, les mains reposant sur ses jambes. Elle ne bouge pas ses pieds en rythme, parce que, crois-tu, elle ne peut pas. Elle pourrait bouger la tête, mais elle ne le fait pas. Jamais. Tu te dis qu'elle pourrait bouger la tête si elle en avait envie, mais qu'elle ne le fait pas. Que c'est un choix.

Peut-être qu'elle est là, à quêter, pour un organisme. Peut-être qu'elle n'est là que pour elle-même. Tu n'en sais rien, tu ne lui as jamais rien demandé. Tu ne sais pas à quoi ressemble sa voix, si elle en a une. Tu ne sais pas quelle langue elle parle. Elle est immobile, silencieuse, patiente. Elle attend que quelqu'un s'approche, glisse une main dans sa poche, sorte son portefeuille, en extraie deux ou trois pièces, les laisse tomber dans la fente de sa cannette. Elle n'est pas comme ces mimes de la place Jacques-Cartier, qui se mettent à bouger quand les touristes leur donnent un vingt-cinq sous. Elle n'est pas peinturée en argent ou en or, mais elle est presque aussi immobile qu'eux. Quand tu passes le matin, pour aller à l'école, elle est là, ses yeux vides bien ouverts qui observent la marée humaine, sans dire quoi que ce soit, sans tendre la main, sans tendre sa cannette, sans faire le moindre signe pour attirer l'attention des gens.

Elle est quasiment invisible. Surtout quand ça fait des années que tu la vois.

Quand tu reviens l'après-midi, après l'école, elle est encore là. Tu te demandes si quelqu'un vient la chercher. Si quelqu'un la positionne à cet endroit et la reprend plus tard, dans une camionnette blanche, ou un transport adapté. Tu ne l'as jamais vue *en train* d'arriver, ou *en train* de partir. Elle est là, c'est tout, quasiment invisible dans ses habits noirs, dans sa chevelure noire, dans sa chaise roulante noire.

Une fois, en parlant à ta copine, en marchant à reculons, hilare, un peu saoul, tu es presque tombé sur elle. Tu marchais dans le corridor, revenant d'un cinq à sept, tu marchais à reculons, en riant et en postillonnant, tu parlais un peu fort, comme tout le monde qui est de bonne humeur. Un pas de plus et tu lui tombais dessus. Un pas de plus et tu étais obligé de te relever en t'appuyant sur les bras de sa chaise roulante, en te confondant en excuses malhabiles. Ta copine t'a attrapé juste à temps, tu t'es retourné en une virevolte presque élégante. Tu as dit pardon et tu as lancé ton regard vers ta copine avec un sourire en coin gêné, plein d'un malaise qu'il fallait dissiper.

Tu as dit allez, vite, faut pas rater le début de la troisième période.

Et elle a disparu, sous le grondement du métro qui approchait.

Les mines générales

I

À L'ÉPOQUE, j'étais toujours à l'affût, j'étais obsédé. Je baissais le son de ma musique dans les transports en commun pour entendre les gens parler dès qu'ils étaient le moindrement basanés. Je portais des gougounes vertes avec le drapeau du Brésil dessus et, pendant la Coupe du monde, j'avais même acheté une vuvuzela verte, jaune et blanche. Sur mon iPod, il y avait des bands brésiliens des années quatre-vingt qui pleuraient *meu coração* vingt fois par chanson, mais je les écoutais quand même.

Elle frisait le pathétique, cette quête sans cesse renouvelée d'une communion totale avec la langue portugaise, n'importe où à Montréal, dans les cafés, dans les couloirs de l'université, entre deux Bixi. Je voyais les couleurs de la Jamaïque sur un t-shirt et je me mettais à chanter *Aquarela do Brasil*.

Les gens me demandaient mais pourquoi pas l'espagnol? Et je répondais poser la question c'est y répondre. Il y avait, dans mon désir boulimique d'apprentissage, une forme de négation de l'évidence et de la facilité qui me confirmait dans mon rôle social d'avocat du diable, de tête de cochon et d'excentrique léger. À l'époque, je n'avais jamais visité le Brésil, ni le Portugal d'ailleurs, mais je pouvais tenir tête à n'importe quel Brésilien dans une conversation sur la littérature de son pays et sur les groupes obscurs de punks de la scène de Rio de Janeiro des années quatre-vingt-dix. Je pouvais lui tenir tête jusqu'à ce qu'il se mette à utiliser des subjonctifs futurs et que ma langue s'enfarge sur un verbe *estar* mal placé. Et chaque fois, je me rendais compte que la discussion en soi ne m'intéressait pas tant que le fait purement linguistique de *la mener à bien.* J'étais obsédé par la grammaire, par la syntaxe du quotidien, par la rognure orale correcte de tel préfixe, par la tonification paroxytonique, par la répétition idiomatique du *que,* par le portugais des favelas, de la Cité de Dieu. Je baissais le son de ma musique en ayant l'impression d'avoir entendu une voyelle nasale typique de São Paulo, tout en préparant dans ma tête les mêmes phrases d'introduction qui me roulaient dedans encore et toujours, des phrases protectrices, en mécanisme de défense, des chleuasmes faciles, pour me faire répondre que non non, j'étais bon, que j'étais impressionnant, que quoi? Ah oui, ça fait seulement un an que tu as commencé?

Wow… Muito impressionante! Des phrases de débutant, certes, mais prononcées parfaitement, avec désinvolture, du genre, ah oui, je parle un peu, je commence à comprendre assez bien, si vous me parlez lentement, doucement, devagar, bem devagar, devagarinho…

Cet après-midi-là, dans la 24 sur Sherbrooke, j'ai baissé le son de ma musique, alors que mon cœur faisait un mini spin, parce qu'il est venu s'asseoir juste à côté de moi et que j'ai remarqué tout de suite qu'il portait un t-shirt de Kaká et des gougounes Havaianas noires. J'avais tellement envie qu'il me parle que mes lèvres bougeaient toutes seules. Dans ma tête ça remuait intense, les phrases se bousculaient, non, non, je ne suis pas brésilien, je suis d'ici, de Montréal, Montréal mesmo, et toi, e você, de onde você vem? Je veux dire, de quelle ville…

J'ai baissé le son de la musique et je me suis concentré sur sa respiration. Il était plus vieux que moi, déjà un peu grisonnant, absolument pas basané, à la limite un peu rouquin. Ses yeux étaient fixés sur la fenêtre devant lui, de l'autre côté de l'autobus. Il avait l'air d'un homme préoccupé et regardait souvent à l'extérieur, comme pour vérifier où on était rendus. Je me suis souvenu que, dans mon sac, il y avait le dernier roman de Chico Buarque, en version originale portugaise, qu'une amie m'avait offert alors que je commençais à peine à m'intéresser à la langue. J'ai sorti le livre et je me suis mis à faire semblant de lire.

Je lançais des coups d'œil furtifs à ses cuisses, pour voir si elles réagissaient. Il a eu comme un spasme dans le genou et soudainement j'ai entendu. Il s'adressait à moi, en portugais.

— Tu es brésilien?

— Qui? Moi? Non non non, je fus québécois.

— Tu parles portugais?

— Um pouquinho.

— Ha ha! Um pouquinho, legal! C'est bon.

— Je comprends bien si tu parlasses –

— Hum?

— Je comprends bien quand les gens disent très lentement.

— Qu'est-ce que tu lis?

— Quoi?

— O-que-você-está-lennnnndddooo?

— Ahhhh! Desculpe : tu lis Chico Buarque.

— Não. Est*ou*. Não est*á*. On dit « eu est*ou* lendo ».

— Ah oui. Desculpe! *Je* lis Chico Buarque. Le dernier roman de lui.

— Hum. Legal. Et c'est bon?

— Muito bom!

— Legal.

— Legal.

Après ces deux *cool* bureaucratiques et typiquement brésiliens, on n'avait plus grand-chose à dire, mais à l'arrêt suivant, une femme accompagnée de deux jeunes enfants est montée dans l'autobus et il s'est levé à son approche. J'ai compris que c'était probablement sa femme, pas basanée du tout, et ils se sont embrassés sur la bouche. J'ai détourné les yeux parce que je me sentais déjà un peu intime avec lui. Assez intime pour détourner les yeux quand il faisait quelque chose qui n'était pas de mes affaires. Les deux enfants se sont assis en face de nous et ils ont commencé à regarder par la fenêtre. Ils portaient tous les deux des t-shirts de la Seleção, même si les Brésiliens venaient de se faire éliminer de façon particulièrement humiliante, sur leur propre terrain, par la Corée du Nord, après un carton rouge ridicule et un but dans leur propre filet. Tout ça avait un air routinier, habituel, comme s'ils se rencontraient dans l'autobus chaque après-midi, après l'école, après le travail.

Il a parlé à l'oreille de sa femme, une jolie brunette bouclée, et ils se sont retournés vers moi, avec de beaux sourires de Sud-Américains aux gencives comme on n'en fait pas par ici.

Deux arrêts plus loin, ils avaient commencé à me raconter l'histoire de leur arrivée à Montréal. Je comprenais juste assez bien pour me rendre compte que c'était une histoire vraiment pas drôle. Une histoire qui ne serait sûrement pas citée en exemple dans les communiqués de presse du ministère de l'Immigration.

II

Il s'appelait Gustavo et sa femme, Carol, que tu prononces *Caro-ou,* à cause du *l* à la fin des mots, qui devient un «ou». Pour eux, la station McGill se prononçait *McGui-ou.* La station d'après s'appelait *Pee-ou.* Il m'avait présenté ses enfants aussi : Luca et Bianca. On s'était tous serré la main, j'avais dit prazer à sa femme et, de fil en aiguille, le long de l'interminable rue Sherbrooke, ils m'avaient raconté leur histoire.

Ils arrivaient de Belo Horizonte, capitale de Minas Gerais, un gigantesque État dans le sud-est du pays, immensément riche à cause de l'exploitation des mines de métaux précieux et incroyablement pauvre à cause de l'exploitation des mines de métaux précieux. Gustavo était ingénieur en bâtiments et Carol, infirmière. Luca et Bianca étaient des fans de soccer. Gustavo était emballeur dans une épicerie à Notre-Dame-de-Grâce, parce que son anglais était bon. Carol serveuse dans un café cubain à Verdun, parce qu'elle se débrouillait en espagnol. Luca et Bianca étaient à l'école primaire et disaient déjà *soccer* au lieu de *futebol*.

Pendant que Gustavo m'expliquait ce qui leur était arrivé au cours des deux dernières années, je me concentrais sur ses lèvres, pour ne pas perdre une goutte de ce qu'il disait. Ça devait avoir l'air un peu gay, comme attitude, surtout quand j'humectais les miennes chaque fois que je me rendais compte que j'oubliais de fermer la bouche, mais je me disais qu'il aurait fait la même chose si on avait parlé français. Carol hochait la tête de temps en temps, pour appuyer les dires de Gustavo. Elle était jolie, mais je n'en avais que pour les lèvres de son mari presque roux.

Avant d'immigrer, ils avaient suivi des cours de français québécois, dans une école spécialisée qui venait d'ouvrir une succursale à Belo Horizonte. Les cours avaient commencé un an après le début du processus d'immigration. De la requête initiale jusqu'à l'entrevue avec un agent du ministère, ça faisait trois ans et demi d'attente et de préparation, d'études et de visionnements de films corporatifs et touristiques du mont Royal et du Château Frontenac et des baleines de Tadoussac et de la rivière Yamaska même pas polluée. On leur avait répété cent mille fois que le Québec cherchait les meilleurs candidats, les plus qualifiés, on leur avait attribué une note en fonction de leur équilibre famille-travail, de leur niveau d'éducation, de leurs emplois respectifs. On leur avait attribué un 8,5 sur 10. Mariés. Hautement qualifiés. Éducation supérieure. Enfants en bas âge. Catholiques romains. Langue maternelle : portugais. Langues seconde et tierces : espagnol, français, anglais.

Ils étaient partis du Brésil pour toutes les bonnes raisons et toutes les mauvaises raisons en même temps, comme tout le monde. À cause de la violence endémique (qui, vue à la lumière de deux ans de nostalgie, ne semblait pas si constante), à cause de la corruption (qui, au fond, était un peu la même partout), à cause de l'imperméabilité des classes sociales et de l'injustice en général (qui, pour être franc, paraissaient vues d'ici des choses à combattre plutôt que des problèmes à fuir). Le père de Gustavo avait été emprisonné quelques mois durant la dictature militaire et ils avaient attendu qu'il meure pour partir, parce qu'ils savaient très bien qu'un patriote comme lui ne leur aurait jamais pardonné un choix comme celui-là. Une lâcheté comme celle-là.

J'ai eu un bref éclair de lucidité en remarquant du coin de l'œil, par la fenêtre de la 24, qu'on avait dépassé mon arrêt depuis vraiment longtemps. On était presque rendus à Pie-IX, j'ai vu le Stade olympique et j'ai pensé à une ville comme Belo Horizonte. Je n'arrivais pas à faire le lien entre les deux, dans ma tête, entre mon stade et leur ville. L'un n'existait pas par rapport à l'autre, il n'y avait aucun moyen de les mettre ensemble, de les faire se rejoindre, même métaphoriquement. Et pourtant, ils étaient un à côté de l'autre, assis sur les bancs d'un même autobus. Gustavo et Carol avaient été « là-bas », et maintenant ils étaient « ici », à me parler, à moi. Je n'arrivais pas à comprendre comment l'un devenait l'autre, tout en étant conscient que la vie n'est rien d'autre qu'une série de ces liens qui ne « devraient pas » exister, en toute logique, en toute probabilité. C'étaient des liens qui te faisaient croire qu'à la limite, chaque chose, chaque grain de la terre, chaque événement, scruté à la loupe de la probabilité, n'aurait pas dû exister, encore moins se produire, n'avait aucune chance de se matérialiser. Chaque évènement, aussi minime soit-il, était faux et absurde.

Il me parlait. Ses lèvres bougeaient et il faisait cette chose que j'adore chez les Brésiliens : il allongeait tellement ses syllabes toniques que c'en était presque comique.

Daí falei com o meu amiiiiiiiiigo.

Assisti a um bom filme no cineeeeeeeeeema.

Caraaaaaaaalho, tô com foooooome.

En atterrissant à Montréal, après une brève escale à Toronto, ils avaient vite trouvé un logement en périphérie, mais pas d'emploi en perspective. Carol avait accepté de rester à la maison les premiers mois, pour permettre à Gustavo de chercher efficacement. L'expérience d'Emploi-Québec avait été particulièrement traumatisante. On leur avait fait comprendre que ce niveau de français était excellent mais inacceptable et que des cours offerts par le ministère de l'Immigration étaient souhaitables mais obligatoires. Gustavo m'a dit à ce moment-là que ce n'était pas tant les cours de français qui l'avaient humilié, mais la façon dont l'agent avait balayé son diplôme, en disant qu'il ne serait pas reconnu ici avant que les preuves arrivent du gouvernement brésilien, et qu'il faudrait ensuite sans aucun doute faire des équivalences, de toute façon. Il m'a dit qu'il savait tout ça, qu'il s'attendait à ça, que c'était la moindre des choses que le Québec prenne des mesures, qu'il se protège, mais que le ton blasé et méprisant l'avait tué, cette journée-là. J'ai voulu répondre que l'employé était probablement fatigué, qu'il avait peut-être vu cinq cents dossiers déjà en un seul après-midi. Que le ministère faisait son gros possible. J'ai voulu défendre ma bureaucratie, mais j'étais suspendu à ses lèvres. Je ne connaissais pas de mots assez efficaces en portugais pour interrompre quelqu'un et commencer à argumenter sur l'État-providence et le modèle québécois.

Pendant que Gustavo cherchait partout dans la ville, Carol avait péniblement réussi à placer les enfants à l'école, en classe d'accueil. Les deux dans la même classe, le temps qu'ils s'adaptent, même si Bianca avait deux ans de plus. Durant six mois, ils avaient vécu uniquement de leurs économies et de l'aide gouvernementale symbolique offerte pour les cours de français.

À onze heures, un vendredi soir, en revenant sans rien de nouveau à offrir à l'appartement de Pointe-aux-Trembles, Gustavo s'était fait attaquer par une bande de skaters qui lui avait volé son portefeuille, sa carte de résident permanent et tout le reste avec. Il n'avait même pas essayé de résister, parce qu'au Brésil, ça lui était déjà arrivé trois fois. Au couteau, à l'exacto, au pistolet. C'était la quatrième fois de sa vie qu'on lui volait ses documents et son argent. Mais c'était la première fois qu'il se retrouvait sans papiers dans un pays d'adoption.

Je me suis dit pauvre gars, moi je ne me suis jamais fait voler quoi que ce soit, même pas une casquette de baseball taxée dans la cour d'école. Je me suis dit que j'étais vraiment né avec une cuillère en or dans le cul, ou quelque chose du genre. J'avais presque du sang bleu, en comparaison avec ce gars-là. Une bande de petits cons lui avait cassé le nez avec un poing américain, comme cadeau de bienvenue dans le premier monde.

Carol a cligné des yeux rapidement, en caressant l'épaule de Gustavo. J'ai ouvert la fenêtre de l'autobus et j'ai senti l'odeur des raffineries de pétrole. On n'était même plus à Montréal.

Je suis descendu avec eux de l'autobus 182, à Pointe-aux-Trembles, après trois transferts d'autobus à les suivre, plus ou moins conscient, plus ou moins hypnotisé. Il y avait un Shell devant moi, un Petro-Canada en arrière, un Esso au loin. J'étais sur le coin d'un boulevard gris, avec une famille brésilienne, et je connaissais plus de choses sur leur pays et sur leur vie que sur l'extrême est de l'île. On était ailleurs.

J'étais perdu d'aplomb.

III

Je l'aimais. Son nez était croche, à cause de la raclée qu'il avait reçue. J'étais tellement ailleurs, au milieu de son histoire, d'édifices bas et grisâtres au bout de l'île, que je lui ai proposé quelque chose sur un coup de tête.

Carol et les enfants marchaient en avant, et Gustavo et moi, comme un couple de penseurs, en retrait, on discutait les mains dans le dos. J'ai dit, à moitié en portugais et, je ne sais pas trop pourquoi, à moitié en anglais, que lui et moi, on pourrait faire un jumelage linguistique. J'ai dit que c'était commun et pratique. On se parle une heure en portugais, ensuite une heure en français, et ça nous permet d'évoluer rapidement. Et on apprendrait à mieux se connaître. Nous-mêmes et l'un et l'autre, et nos forces et nos faiblesses, et nos peurs, nos craintes et nos angoisses, nos rêves d'enfance et de grandes personnes, et j'étais clairement enthousiaste. Il hochait la tête. Il a hoché la tête et m'a répondu d'accord. Il m'a répondu que c'était une bonne idée. On a pris rendez-vous, là, n'importe où, sur une rue Sherbrooke qui me donnait l'impression d'être le boulevard Taschereau de mon adolescence.

Dans ma tête, on allait déjà visiter ses parents au Brésil, l'année prochaine. Jeter des fleurs dans la baie de Rio pour le Nouvel An. Monter le Corcovado. Il m'avait pourtant dit qu'il n'était allé à Rio qu'une seule fois, pour un congrès, et qu'il avait tellement eu peur de la ville, de ses favelas et des trafiquants qu'il était resté terré dans son hôtel deux jours durant. Mais ça ne diluait en rien mon imagination. On irait ensemble monter le Corcovado et s'asseoir pour relaxer en dessous de la gigantesque statue du Christ Rédempteur.

J'étais émotif et, quand ils sont partis, après m'avoir serré fort, je me suis retourné sur moi-même. Tout à coup, je me suis souvenu que Marion m'attendait à sept heures dans son appart sur Gauthier, au coin de Parthenais, à l'autre bout du monde, et même le soleil m'a regardé en se disant qu'il ne voulait pas être là pour me voir me faire engueuler. Il était rendu huit heures et demie. Je n'avais pas d'argent pour un taxi. J'avais oublié mon téléphone. J'étais soudainement un raté, quelqu'un de vraiment très con. J'ai traversé le boulevard et, me plantant à un arrêt d'autobus aux allures de station de train perdue au milieu de l'Europe de l'Est, j'ai allumé une cigarette, parce que d'habitude ça marche : l'autobus se pointe. Le truc a fonctionné, je voyais les gros phares au loin. La sensation d'être un raté s'est dissipée. J'étais redevenu quelqu'un qui fait bouger les choses. J'étais beau, je me détachais sur le fond indiscernable du crépuscule et le bruit d'un grillon ou deux mélangé avec l'odeur d'essence m'a rappelé qui j'étais, où j'étais et où je m'en allais.

Marion était surtout inquiète. Elle m'a chicané pour la forme, alors que je jouais dans ses cheveux et que je dénouais et renouais les fils du récit de Gustavo et de sa famille. Couchée la tête sur mes genoux, elle m'écoutait avec un mélange d'oreille distraite et de fonction phatique hyper efficace, qui me donnait le goût de poursuivre et d'en mettre.

— Mais le pire, tu sais-tu c'est quoi le pire ? Ils viennent de recevoir un avis d'éviction de leur logement, fuck. Te rends-tu compte ? Ça fait presque deux ans qu'ils sont arrivés, Gustavo a fait pis refait son CV vingt fois, il l'a envoyé à genre cinquante-deux compagnies, jusque genre dans les Laurentides, personne l'a jamais rappelé. Je veux dire, c'est pas comme si c'était fait tout croche, il m'a dit qu'il avait appris dans les cours de francisation comment faire ça comme du monde. Bref, ils leur laissent deux semaines pour payer les intérêts sur leur prêt ou ben crisser le camp. Man, ils vont se ramasser dans un des HLM insalubres qui passent à *J.E.* Ça craint.

— Ça quoi ?

— Ça craint.

— Ça veut dire quoi ?

— C'est français.

— Ah. Pis la femme, elle travaille pas ?

— Elle est genre serveuse dans un bar de Cubains à Verdun, pas loin de chez moi, fucking loin de chez elle. Pis tu sais pas le pire ? Son gérant l'a pelotée.

— Non.

— Oui, estie.

— Coudonc, ça va donc ben mal, leur affaire.

— Ouin, c'est fucked up. C'est pas comme si c'étaient des Arabes ou quoi. Tu t'imaginerais que les Sud-Américains s'en sortent quand même bien quand ils arrivent ici, ben pas tous les Sud-Américains, genre pas les Mexicains, mais en tout cas, tu comprends ce que je veux dire.

— Moyen.

Après ça, on a eu comme un froid. Elle s'est levée et a commencé à débarrasser la table, pendant que j'essayais de lui expliquer en quoi ma réflexion n'était pas raciste, *bien au contraire,* que l'idée c'était justement de critiquer notre façon de traiter le monde, notre, ma, ta, tout le monde, l'intolérance, les préjugés, etc. Marion ramassait les restes du souper en me zyeutant par moments et par endroits, jamais vraiment plus haut que mon cou. J'ai dit :

— En tout cas, tout ça pour dire qu'on a conclu qu'on allait commencer un jumelage ensemble. On a rendez-vous la semaine prochaine. Ça va lui changer les idées.

— T'as pas déjà un gars avec qui tu fais un jumelage en portugais ?

— Ben oui, c'est quoi le rapport ?

— Ben, qu'est-ce que tu vas lui dire, à lui ?

— Ben, je sais pas, que j'ai plus le temps.

— C'est ben poche.

— Ben là, ça arrive, c'est super courant, c'est super normal.

— Si tu le dis.

— Pis aussi, je pense que je vais faire un chèque à Gustavo. J'ai full cash ces temps-ci. Je pense que je vais lui prêter un peu d'argent. Symbolique. Quelque chose de symbolique. Il serait content.

Marion a déposé un bol dans l'évier et s'est retournée pour me regarder dans les yeux. J'ai eu de la difficulté à lire tout ce que ça impliquait, sous les multiples strates de la pensée féminine.

IV

Deux semaines plus tard, j'étais aux anges, et j'entrais en immersion parce qu'ils s'installaient chez moi. J'ai ouvert le divan-lit pour les deux enfants, et Carol et Gustavo ont gonflé un matelas dans mon bureau. J'ai déplacé mon ordinateur dans ma chambre, un ordinateur qui n'était vraiment pas lourd, un portable. Quand Marion m'avait demandé où j'allais mettre mon ordinateur je lui avais répondu que, justement, c'était un portable, qu'il pouvait se transporter n'importe où, que c'était pas génial, ça ?

Gustavo et moi, on s'était entendus dès notre première rencontre officielle sur les modalités du déménagement. Il y avait une atmosphère féconde d'urgence et d'amitié. C'était pour les dépanner, c'était temporaire. Je lui avais donné le chèque de trois cents dollars, en essayant de sourire comme un Sud-Américain, et il avait presque pleuré. Il disait que c'était pathétique, tout ça, qu'il était pathétique. Qu'il était incapable de subvenir aux besoins de sa famille.

Et il le disait vraiment vite, alors tout ce que je comprenais c'étaient les mots vulgaires, prononcés avec une emphase particulière. Je me les traduisais à mesure, en l'écoutant être émotif comme ça : pénis, pénis, enculé, sperme, pénis, cul, fils de pute, qu'il se le prenne dans l'anus, pénis, fille de pute. Je me disais, tape-lui sur l'épaule, prends-lui l'épaule, fais quelque chose. Et en même temps je me disais qu'on était bien ici, au Québec, avec nos mots d'église.

Je l'avais aussi convaincu, lentement mais sûrement, que mon quartier était vraiment mieux que Pointe-aux-Trembles. Il y avait le canal Lachine, la piste cyclable, il y avait la rue Saint-Ambroise, la brasserie McAuslan, le Marché Atwater. Il ne pleuvait jamais. J'avais commencé à lui expliquer que les lettres tout étirées, au fond de la station de métro, représentaient le titre d'un classique de notre littérature, que Jésus de Montréal était mort d'une embolie cérébrale juste en face de ces grands triangles de brique jaunes. Mais j'avais tellement de subjonctifs à placer ici et là que je m'étais découragé.

Après, on avait parlé un peu français et j'avais constaté que son niveau était excellent. J'étais content parce que ça voulait dire qu'on n'aurait pas besoin de perdre de temps là-dessus, qu'on pourrait se consacrer à mon apprentissage. Je me suis aperçu dans un miroir latéral, à ma gauche, et j'ai compris pourquoi je plaisais tant à Marion, un moment furtif mais intense de communion avec moi-même, devant Gustavo. Je me suis vu avec ses yeux à elle, avec mon sourire en coin et toutes les potentialités de mon visage.

Comme on était déjà en juillet, Carol était partie à la recherche d'une école pour les enfants, dans Saint-Henri. Elle avait été reçue avec un sourire et des accolades par la directrice de l'école primaire Ludger-Duvernay. Elle nous avait raconté que deux secrétaires étaient même passées dans le couloir derrière le bureau de la directrice et qu'elles lui avaient envoyé des clins d'œil. Luca et Bianca étaient bel et bien inscrits pour l'année prochaine. J'avais ouvert le divan-lit pour eux, en poussant le meuble de télé dans un coin. Gustavo avait déposé mon chèque le lendemain de notre rencontre et la famille avait quitté l'appartement de Pointe-aux-Trembles en laissant leurs quelques bibelots. Ils avaient entreposé un sofa, un lit queen, deux lits superposés et une table de cuisine avec quatre chaises. Mon chèque avait payé pour le camion U-Haul, le long taxi vers l'ouest, et un mois d'entreposage.

J'étais si content de les voir arriver et monter les marches dans mon vestibule, avec leurs valises et leurs chandails *I heart Montreal*, que j'avais crié une vulgarité en portugais. Carol m'avait regardé avec des strates géologiques féminines dans les yeux et j'avais demandé pardon tout de suite, brandissant un langage châtié, sorti tout droit d'un dictionnaire ou d'un roman lisbonnais du dix-neuvième siècle.

Elle a soufflé un bon coup en arrivant en haut de l'escalier, un gros soupir de soulagement. J'ai dit bienvenue et j'ai indiqué du doigt le divan-lit, en pointant les deux enfants. J'ai fait un signe de la main, ensuite, les invitant à me suivre pour que je leur montre l'appartement.

Ce n'était pas grand, chez moi, mais c'était confortable. J'avais un appart en cube, avec une cuisine centrale entourée de pièces. Les planchers étaient inclinés, ils montaient subtilement vers La Mecque, ou le Plateau-Mont-Royal, mais les comptoirs étaient neufs, et la salle de bain avait été rénovée.

Gustavo s'est mis à nous cuisiner un bon repas, pendant que j'essayais de brancher l'air climatisé, parce qu'il commençait à faire chaud. Les enfants se sont installés dans le divan-lit avec leur mère et ils ont allumé la télé pour regarder *Le téléjournal.* Ça me faisait drôle d'entendre Patrice Roy leur parler, comme ça, à eux plus qu'à moi, qui étais dans l'autre pièce. Ça a commencé à sentir la *feijoada* dans la cuisine. Patrice leur expliquait qu'ici tout se passerait bien, qu'à partir de maintenant ils étaient en sécurité.

V

Quelque chose comme une routine s'est installé. Je leur montrais la ville comme ils ne l'avaient pas encore vue. Je faisais semblant de penser à ma thèse pendant que j'épiais Luca qui jouait à des jeux sur le PlayStation 3 que je venais de lui acheter, de nous acheter. Je ne lisais pratiquement plus qu'en portugais. Carol avait apporté avec elle, dans son nouveau chez-soi, une bonne cinquantaine de romans brésiliens que j'aurais eu de la difficulté à trouver à Montréal, sans elle.

Il y avait de tout, du Paulo Coelho, que j'ai mis sur une tablette sans faire de commentaire, pour ne pas la vexer, du Machado de Assis, qui me mettait l'eau à la bouche, du Rubem Fonseca. Il y avait du Clarice Lispector, dans une édition revampée, avec son beau nom en calligraphie sur la couverture. Il y avait toutes sortes d'autres romans qui m'intriguaient aussi, des auteurs inconnus ici et en dehors du Brésil, que je m'imaginais en train de découvrir, de diffuser et de traduire. Je prenais les romans de Carol un à un et je les étudiais d'une oreillette à l'autre, savourant la page couverture, les ouvrant en plein milieu pour lire une phrase à voix haute et me languir en avance de toute la littérature en mouvement qui encerclait, qui entourait cette phrase.

À vivre quotidiennement avec Gustavo et Carol, je commençais à prononcer presque parfaitement, butant seulement sur certains mots, certains adjectifs au pluriel particulièrement tarabiscoté. Je prononçais avec une dose presque parfaite de nasalité, rognant les bonnes syllabes, gardant le bon rythme un peu chantant de mes premières amours avec la tonalité de São Paulo, mais découvrant avec toujours plus de joie les particularités régionales du Minas Gerais, ses patois, ses fromages, ses confitures de goyave et le son des ouistitis et des merles dans les palmiers qui dansent au son d'une samba sortie tout droit d'une vieille planche à dessin de Walt Disney.

J'ai parlé à Marion une dernière fois au début de septembre, juste après le début des classes. En regardant Luca et Bianca s'éloigner sur la rue Notre-Dame, leurs petits sac à dos jaune et vert bien accrochés à une seule épaule, j'ai ressenti une mini culpabilité. Il y avait les feuilles à peine rougissantes, et il y avait aussi le bonheur conjugal de Gustavo et Carol qui me rendait heureux et négligent. Quand Carol me demandait si j'avais parlé à *minha namorada* dernièrement, j'évitais la question en feignant de me concentrer sur ma thèse.

Marion a répondu et j'ai tout de suite pensé qu'elle me ferait le coup du tunnel. Je conduis, je suis dans un tunnel, ça va couper là, là, j'arrive dans le tunnel là, là. Le son de son cellulaire me faisait cet effet-là, sa voix déconstruite et reconstruite par des technologies hautement efficaces qui redevenaient subitement aussi vieilles que des radios de voiture et des antennes dépliables, quand on roule sur l'autoroute Ville-Marie. Elle a répondu en disant un allô avec un *h* aspiré.

J'ai dit allô, c'est moi, est-ce que tu conduis?

— Quoi?

— Est-ce que t'es en train de conduire? Parce que j'aimerais ça qu'on se parle.

— Ça fait genre six mois que j'ai pas conduit. Je comprends pas ta question.

Sa voix était pleine de *h* aspirés. Je sentais littéralement le tunnel approcher. J'ai répété:

— J'aimerais ça qu'on parle.

— C'est drôle que tu dises ça, parce que je commençais justement à me dire le contraire.

— Le contraire ?

— J'aimerais ça qu'on se parle plus.

Marion et moi, on se fréquentait depuis huit mois. On s'était rencontrés à l'université, dans un séminaire. Elle était une des premières filles non lesbiennes du département à me faire sentir que j'étais peut-être un peu beau, après tout. Ses cheveux étaient lisses, châtains, elle était toute menue. En fait, elle s'appelait Marie, mais j'avais tellement de Marie-Hélène et de Marie tout court dans ma famille qu'on avait tous commencé à l'appeler Marion, un peu pour le fun, un peu pour se simplifier la vie. Elle avait fini par s'habituer, mais ça ne l'a pas empêchée de répondre crisse, appelle-moi pas de même, quand j'ai dit dans le téléphone :

— Marion, t'es pas sérieuse, là ?

C'était bizarre parce que je savais que cette conversation s'en allait exactement là où je voulais la mener, et d'une manière encore plus expéditive que ce que . . . . sentais quand même cheap. p et j'haïssais ça. Je savais que tout de suite après avoir rac- e pas pouvoir *m'expliquer* en t chier. Elle ne me laissait pas prendre qu'au fond, je n'étais rai. Qu'on devrait rester amis. elle a repris : bonheur lusophone, j'espère. de te répondre à cause de ton mal cool ici.

— Tellement cool que tu m'as pas appelée de la semaine, pis qu'avant ça tu m'as pas appelée pendant genre quatre jours, tellement cool que tu te sens tellement généreux pis expansif dans ta nouvelle vie de latino qu'à chaque fois qu'on se voit, tu me parles juste en fucking portugais en essayant de m'expliquer comment prononcer des esties de mots pas rapport jusqu'à ce que je me tanne pis que j'aille l'air d'une facho intolérante avec les passions de son chum. Fuck.

— Depuis quand tu sacres de même ?

— C'est à cause de toi. Je sacrais jamais, avant de te rencontrer.

— Scuse-moi pour la mauvaise influence.

Elle n'a pas du tout apprécié mon sarcasme, même si c'était juste pour me venger de ses sarcasmes à elle. Je commençais à être fâché et ça me simplifiait la vie, jusqu'à un certain point. J'ai continué :

— Je t'ai quand même appris à dire je t'aime, avec l'accent pis tout. Je te l'ai dit plein de fois.

— Ah, estie que t'es lourd des fois.

— Quoi ?

— Laisse faire.

— Non, dis-le. Qu'est-ce que t'as dit ? Dis-le.

— Laisse faire, j'ai dit. Écoute. Je pense que ça me tente plus de te voir. Ça me fait de la peine dans un sens, mais c'est comme ça.

Après un silence, j'ai dit :

— T'es sûre ?

— Je pense que je suis sûre. Appelle-moi plus.

— T'es sûre ou tu penses que t'es sûre ?

— Appelle-moi plus.

Malgré tout ça, on est restés polis, on n'a pas raccroché avant d'avoir reçu nos «bye» respectifs. Je suis
allé jouer au PlayStation avec Luca. On s'est plogués
devant *God of War* et on a passé le boss de l'Olympe
du premier coup.

VI

Au début de décembre j'ai enfin reçu le versement tri-
mestriel de ma bourse d'études, un montant énorme
octroyé par le gouvernement fédéral, exempt d'impôt,
et on est tous partis à Belo Horizonte sur Air Canada.
Le temps de me procurer mon visa, de faire les bagages,
et on était dans l'avion. On était en transit à Chicago,
on était à Guarulhos Internacional, à São Paulo, on prenait un troisième avion, on atterrissait à Belo Horizonte.
J'ai fumé ma première cigarette en sol brésilien, et on a
attendu que la mère de Carol arrive avec la Honda.

Le soleil était à dix centimètres de mon visage. Les
arbres étaient suspendus au-dessus de ma tête et flot-
taient en gigotant dans la brise. Dans l'aéroport, j'avais
été frappé par l'odeur de produits ménagers, de désin-
fectant, qui me rappelait à quel point le Brésil avait
envie d'être plus propre et stérilisé que le reste de la
planète, comme s'il se faisait un point d'honneur de ne
pas *sentir* le tiers-monde. C'est en sortant dehors que les
vrais effluves m'ont assailli. Ça sentait la noix de coco,
le toucan, ça sentait la Brahma bien froide. Tout le

monde souriait, de l'agent d'immigration à la vendeuse de bijoux installée sur le bord du trottoir derrière un long tapis déroulé, en passant par moi, Gustavo, Carol et les enfants. J'avais presque des gencives de latino et mon sourire était illuminé de l'intérieur. Un homme m'a demandé du feu directement en portugais et, quelques minutes plus tard, une employée de sondage m'a demandé si j'avais deux minutes pour répondre à ses questions sur la présidente, sur les élections prochaines, sur la corruption, sur le fait qu'un *palhaço* se présentait comme député fédéral. J'ai souri vraiment beaucoup en me voyant obligé de lui répondre que j'étais un *estrangeiro,* que j'étais seulement de passage. Elle s'est éloignée en me félicitant pour mon portugais et Gustavo m'a dit en riant que je m'étais mélangé dans mes deux verbes *être,* encore une fois, *ser* et *estar.* Fuck.

J'ai demandé à Gustavo c'était quoi, un *palhaço.* Il m'a répondu un clown. J'ai dit un clown ? Il y a un clown qui se présente comme député ?

— Oui. Et il est bon premier dans les sondages. Bienvenue au Brésil.

La mère de Carol est arrivée à ce moment-là, se confondant en excuses pour le retard. En embrassant tout le monde, toute sa famille, avec de grandes accolades et de grands gestes, elle a expliqué qu'elle nous attendait dans le mauvais terminal, à l'autre bout de l'aéroport. Puis elle m'a regardé, comment, dubitative, et a parlé vraiment vite. Tout le monde s'est esclaffé devant mon absence de réaction. J'ai fait semblant de rire avec eux. Elle m'a regardé encore et a répété lentement, en détachant chaque syllabe :

— Ah ! Le sauveur ! Le héros ! Le plus gentil Canadien de l'univers ! Viens ici que je t'embrasse, mon cher cher cher ami ! Bienvenue au Brésil !

— Muito obrigado.

— Oh ! Bel accent ! Très bel accent ! Extraordinaire accent !

Et elle m'a serré très fort, en me frottant le dos. C'était une petite dame blonde avec des lunettes de soleil immenses qui lui allaient pratiquement du haut du front jusqu'aux lèvres. Elle portait une blouse à imprimé léopard, des pantalons trois quarts et des gougounes aux couleurs du pays, comme tout le monde. Elle était jolie comme tout et je n'ai pas pu m'empêcher de regarder ses fesses de quinquagénaire brésilienne, seulement pour confirmer un mythe tenace, alors qu'elle ouvrait le coffre de l'auto et qu'on commençait à fourrer nos bagages dedans.

J'ai cru voir Marion, un porte-poussière à la main, en train de balayer devant les portes automatiques. J'ai cru reconnaître sa silhouette, sa façon de s'attacher les cheveux, mais mes yeux ont été attirés aussitôt par un perroquet perché sur l'épaule d'une femme aux courbes généreuses qui ressemblait comme deux gouttes d'eau à Alys Robi chantant *Tico-Tico*. Elle est passée devant la silhouette de Marion, qui s'est estompée. Je ne savais plus trop qui ou quoi suivre des yeux, tellement j'étais stimulé, tellement mon intelligence était sollicitée par plusieurs codes culturels nouveaux. J'étais comme redevenu cet enfant qui gribouillait des palindromes et des contrepèteries, à la joie renouvelée de son père, cet enfant préscolaire émerveillé que j'avais été en découvrant seul, un soir, le concept de racine carrée, entre deux gorgées de chocolat chaud.

Gustavo s'est chargé d'installer les enfants confortablement, Bianca sur ses genoux, à l'avant avec sa belle-mère, et on est sortis de l'aéroport sous le soleil de l'autoroute, en nage, en trombe.

VII

En arrivant à Ouro Preto, j'ai compris à quel point Gustavo et Carol s'étaient fait avoir en arrivant au Québec. Ils étaient passés d'une villa de vacances dans une ville protégée par l'Unesco, où chaque immeuble était patrimonial et où chaque fronton de maison était certifié quatorze carats grâce aux revenus miniers des dix-septième et dix-huitième siècles, à une nouvelle vie à Pointe-aux-Trembles, entre un Esso et un Shell. Une nouvelle vie où ils s'étaient fait reléguer au fin fond du prolétariat montréalais, où on les avait attaqués, volés, pelotés, et où un jeune inconnu était venu à leur rescousse, sorti de nulle part, dans un bus, leur enlevant ce qui leur restait d'orgueil et de fierté personnelle.

La villa était absurdement luxueuse. Je n'avais jamais demandé à Carol ce que ses parents faisaient dans la vie, mais maintenant j'étais certain que ça n'avait pas dû être facile pour le jeune couple, à l'époque où ils s'étaient rencontrés : avec une baraque pareille, il n'y avait aucun doute que les parents de Carol avaient été proches du régime militaire. Proches de la dictature. Je me le répétais, en entrant dans la maison et en frissonnant, dictature, *dictature,* proches de la dictature. Je pensais au père de Gustavo, le résistant, posant des bombes dans l'Amazone et écrivant des slogans communistes sur la façade de l'hôtel de ville de Belo Horizonte. La famille de Carol était dans l'or, dans le commerce de l'or, dans l'exportation. Je voyais toutes ces pièces magnifiques se succéder, ces meubles de designer s'empiler quasiment les uns sur les autres et ces toiles de qui ? De Matisse ? C'était sûr et certain, il n'y avait pas de doute à avoir. Je voyais presque les policiers à cheval de la dictature foncer sur le pauvre père de Gustavo, en pattes d'éléphant, brandissant une fleur et chantant à tue-tête un hymne de Geraldo Vandré. Je les imaginais presque brandir leurs matraques et frapper dans la foule d'étudiants.

J'étais ému par tout cet univers si complexe qui m'accueillait, qui m'ouvrait lentement ses portes massives en bois d'Amazonie.

La mère de Carol m'a montré où j'allais dormir et c'est en entrant dans la chambre que j'ai constaté qu'ils étaient vraiment riches : dans ma salle de bain personnelle et sur mon oreiller, on avait placé des mini bouteilles de shampoing, des savons et des bonbons à la menthe.

J'étais heureux d'une manière complètement inédite, ça me faisait mal dans le ventre, ça gargouillait jusque dans les veines sur le dessus de mes mains. En ouvrant les grandes portes françaises au fond de ma chambre, j'ai laissé entrer le soleil de fin d'après-midi, rouge, et il m'a fait un clin d'œil. À la rencontre de ses deux paupières j'ai aperçu la devise *Ordem e Progresso* avec les étoiles des différents États brésiliens, et au loin, à l'horizon, la présidente visitait une favela de Rio de Janeiro, serrant des mains, proposant des solutions révolutionnaires. Tout le monde souriait avec les gencives découvertes, tout le monde battait la cadence au rythme des tambourins et des coups de sifflet de la batucada.

J'étais couché sur mon lit quand j'ai entendu Carol et sa mère me crier ensemble, en chœur, en harmonie, que le repas était servi. J'avais mis les bouteilles miniatures sur la table de nuit et je regardais par la porte-fenêtre, étendu, tranquille, latin. Un balcon en pierre donnait sur la rue principale et, comme j'étais à l'étage, et que la maison était particulièrement haute, je voyais une bonne partie des toits de la ville, de toutes les couleurs, d'un style qui me rappelait vaguement un style mexicain mais en mieux, en moins kitsch, en plus chic. La pièce était décorée avec goût aussi. Il y avait un Jésus accroché bien en vue, mais ça, on ne s'en sortait pas. Les murs étaient peints d'un orangé apaisant. Mon couvre-lit avait été brodé artisanalement par quelqu'un de la famille. Ou, en tout cas, on aurait dit. Il y avait de la texture.

J'ai passé ma main dessus et j'aurais pu jurer.

L'escalier principal, juste de l'autre côté de la porte de ma chambre, menait au rez-de-chaussée et au deuxième, en passant par ici, qui était une sorte de mezzanine. Je touchais le bois de la rampe, le bois des poutres qui saillaient des murs, et c'était du bois si dur, si massif, que je tentais de pousser dessus avec mes doigts, pour en sentir la solidité. Il n'y avait pas un grain de poussière. Je suis allé rejoindre les autres. Luca et Bianca ont couru entre mes jambes, en me faisant presque tomber. On a ri très fort tous les trois et je leur ai tiré la langue en exagérant ma grimace.

Dans la cuisine, on m'a présenté avec effusion et émotion à un homme très grand et très droit qui s'appelait Antônio Carlos, que tout le monde appelait A.C., et qui portait dignement sa queue de cheval blanche. Le père. Il m'a serré la main, en n'ayant aucune difficulté à écraser mes doigts de gringo, mais j'ai gardé mon sang-froid. Il m'a souri en s'esclaffant et en criant très fort à tout le monde :

— Ils ne veulent pas de notre argent, mais ils vont le ruiner, lui, si ça continue ! Ha ha ha ha ha !

Personne n'a ressenti de malaise. Son sourire était si franc. Il était si puissant, dans tout son crâne extrêmement bien défini, que certains atomes importants semblaient s'écarter de son chemin quand il passait. Il m'a finalement lâché la main et m'a pris dans ses bras.

— Ah ! Le héros ! Le sauveur ! Celui par qui le bonheur arrive, ou plutôt revient ! Meu amigo ! Seja bemvindo ao nosso divino Brasil !

Et, à ce moment-là, quelque chose a débloqué en moi, en même temps qu'une vertèbre craquait. J'ai dit merci, mille fois merci, et j'ai fait une phrase complète, au second degré, avec de l'ironie, en plaçant correctement toutes mes prépositions et tous mes accords du subjonctif futur. J'ai prononcé toutes mes diphtongues et mes syllabes toniques avec une assurance infaillible. On ne pouvait plus m'arrêter. Je voyais leurs yeux grossir de plus en plus et devenir de plus en plus admiratifs, à la manière d'une foule attentive et silencieuse dans un jeu télévisé. Je n'arrêtais plus, c'était du véritable slam brésilien. J'étais inspiré par la villa, la ville, les gens, les odeurs, les ouistitis. Ils possédaient même un perroquet.

Au fond de la grande cuisine, je voyais une femme de ménage et j'ai cru un instant reconnaître Marion, qui se penchait exactement de la même manière quand elle ouvrait sa poubelle avec le bout de son pied, loin sur son Plateau-Mont-Royal. J'ai cru la reconnaître, mais Bianca a ouvert le stéréo, en appuyant sur une télécommande quelconque, et un disque s'est mis à jouer fort. Le temps de le dire, on mangeait des fruits énormes que je n'avais jamais vus, même pas dans la section spéciale du IGA, et j'avais l'impression de bouffer le chapeau de Carmen Miranda.

VIII

Les jours se sont succédé comme ça, de merveille en merveille. Avec le gros Hummer de A.C., on a parcouru des kilomètres de nature époustouflante et de territoires préservés, classés patrimoniaux depuis que l'exploitation de métaux précieux a pris fin.

La famille m'a même fait sortir de Minas Gerais pour une excursion à Rio, où je suis allé m'asseoir en dessous du Christ Rédempteur, faisant semblant de prier pour ne pas froisser la mère de Carol ni personne d'autre qui se trouvait là. Du haut du Corcovado, je voyais le Pain de Sucre. Il y avait une petite mélodie de bossa-nova dans l'air, sur fond d'Ipanema, et je ressentais aussi, en face de l'horizon, exactement ce que les explorateurs portugais avaient dû ressentir en arrivant dans la Baie. La ville était toute en collines pleines de favelas et de condos luxueux mélangés. Le soir même, Gustavo m'a amené dans un bar indie rock de Leblon, le quartier chic où Clarice Lispector a habité jusqu'à sa mort. Il n'avait plus peur de Rio : j'étais avec lui.

Les femmes étaient tellement belles que je devais me retenir sans arrêt de prendre Gustavo par le bras, pour qu'il approuve. Il riait et, avec le flegme d'un homme bien marié et heureux, relançait vers les joueuses de volleyball leurs ballons échappés qui roulaient vers nous. Quand une fille s'enlevait l'élastique du bikini de la craque de fesse avec l'index, il fallait vraiment que je me retienne.

Je mangeais de la viande rouge, de la viande blanche, de la viande brune, matin, midi et soir. Je mangeais de l'autruche et des cœurs de poule. Je mangeais de la morue et des crevettes avec leur tête et leurs yeux. Je te gobais ça en faisant passer avec de la Brahma froide, et ça me rappelait la cuisine de ma mère, mais en meilleur, en plus raffiné et grossier simultanément, en plus terre à terre et sophistiqué simultanément. Ça me rappelait à quel point j'étais quelqu'un là-bas, mais moi-même ici, dans le giron, sous l'aile de ma mère lointaine, qui me donnait sa bénédiction, encore et toujours, qui pensait sûrement à moi en ce moment même où je pensais à elle, qui m'envoyait des ondes, des pensées positives.

On est repartis pour Ouro Preto le samedi tout de suite après le Nouvel An, qu'on avait passé toute la famille ensemble, sur la plage de Copacabana. On avait jeté des fleurs blanches dans l'océan Atlantique en se promettant à chacun la santé, l'amour et la paix. Il y avait des milliers et des milliers de personnes réunies sur la plage. C'était à la fois étrange et naturel, pour moi, avec ma peau bronzée et mes cheveux pâlis par le soleil. Je me mêlais, je m'intégrais, je m'assimilais. Les gens me criaient feliz ano novo, meu velho! Et je criais en retour paz e amor, cara! Paz et amor para você e todo o mundo! Une jeune femme presque blonde courait vers la mer. Je l'ai confondue avec Marion pendant un instant, à cause d'une ressemblance dans le maillot de bain et dans la posture, le même grain de beauté dans le dos, mais quand j'ai plissé mes yeux brillants, elle avait disparu. Il y avait des danseurs de capoeira à la place, et un DJ qui spinnait du Gilberto Gil en drum'n'bass.

On a repris la route vers Ouro Preto le lendemain. À l'arrière du Hummer, Luca, Bianca et moi, on jouait au système PlayStation intégré. Quand j'ai battu Luca à Gran Turismo, il m'a appelé oncle pour la première fois, en rougissant. J'étais ému et ensuite je l'ai laissé gagner dix fois d'affilée.

Bianca ne pouvait pas retenir son rire, mais je voyais dans son visage, dans ses yeux noisette, qu'elle était d'accord. J'ai caressé ses cheveux. Dans le rétroviseur, je pouvais discerner le regard approbateur de senhor Antônio Carlos, même en dessous de ses lunettes fumées.

IX

Une fois à la maison, A.C. m'a pris à part et m'a fait un signe subtil, en voulant dire qu'il voulait me parler. Je me suis approché, nonchalant, le bassin rythmé. Il a fait non de la tête. Non, pas tout de suite, plus tard, quand les autres dormiraient. Mes narines se sont gonflées, conspiratrices, j'ai hoché : j'ai compris.

Notre festin de retour et de la nouvelle année était somptueux, il fallait qu'on se gâte. Je repartais le lendemain. Gustavo, Carol et les enfants restaient une semaine de plus. C'était ma dernière soirée avec les parents de Carol, alors on a joué à des jeux de mots. On s'est amusés à parler français, Luca, Bianca et moi, histoire de faire rire tout le monde et confirmer le mythe selon lequel le *u* francophone sonne vraiment maniéré. Bianca disait *tutu,* moi je répondais *tubercule* et Luca, presque incapable de parler tellement il avait mal au ventre de rire, renchérissait avec *bubulle, pustule, hurluberlu.* En entendant le dernier mot, même Gustavo, qui était solide en français, a fait o que? Et je leur ai expliqué ce que ça voulait dire, *hurluberlu,* avec concision, mais avec éloquence. Mes mains n'étaient presque plus nord-américaines, elles bougeaient en face de moi durant mes explications, comme volubiles, elles montraient ce que je disais.

Carol est allée coucher les enfants. Je leur ai dit bye, on se voit dans une semaine, parce que mon vol était très tôt et qu'on ne les réveillerait pas pour ça. Ils sont partis en courant dans l'escalier, en criant *boa noite, tio, tio, tio,* bonne nuit, oncle, oncle, oncle. J'étais ému. J'essayais de ne pas trop rougir. À la limite, j'essayais de ne pas pleurer. Mon cœur s'excitait tout seul. Tio. *Oncle.*

Tout de suite après être redescendue dans la pièce principale, dans le grand salon boisé, Carol nous a dit bonne nuit. Elle est remontée, suivie de peu par sa mère, et ensuite par Gustavo, qui n'avait pas grand-chose à dire à Antônio Carlos, j'imagine.

Si le père de Gustavo s'était fait tabasser durant la dictature et emprisonner par les amis policiers de A.C., si les chevaux du régime militaire avaient terrassé les jambes et les bras du père de Gustavo, c'était clair que ces deux-là n'avaient pas grand-chose à se dire. En fait, l'animosité était palpable, j'en prenais conscience, alors que le perroquet, silencieux sur son perchoir, m'observait calmement. En fait, c'était même possible de remonter plus loin, d'en faire une histoire de générations, de filiations et d'héritages. Je pouvais facilement me représenter la famille de Carol, la faire remonter jusqu'à l'esclavage, jusqu'au temps des grandes fazendas, jusqu'au temps de l'Empire. L'arrière-arrière-grand-père de A.C., un Antônio Carlos Premier, noble, aux côtés de l'empereur Pedro II, lui murmurant à l'oreille, un confident, juste après l'indépendance, à la cour, à Rio, flanqué d'un valet esclave créole qui aurait marié une rousse peu après l'abolition, pourquoi pas, pour arriver cent vingt ans plus tard, de métissage en métissage, jusqu'à Gustavo, le rouquin expatrié que j'avais rencontré dans la 24, sur Sherbrooke, et qui dormait maintenant, pendant que je m'apprêtais à conspirer avec son beau-père.

A.C. buvait une *aguardente* mielleuse, calé dans un fauteuil qui était visiblement le sien, en face de moi. Il me fixait avec une intensité mêlée de générosité que j'associais correctement à ce que pouvait être un air de patriarche. Il n'y avait aucun glaçon dans son verre. Sa queue de cheval était immaculée.

J'ai toussé sans conviction, en m'excusant. J'avais envie de fumer, mais j'avais arrêté dès mon arrivée à Ouro Preto, parce que je savais que ce n'était plus bon pour moi. J'étais ailleurs, la ville coloniale était si belle, si époustouflante, je ne pouvais pas la souiller avec mes mégots. C'était la raison que j'avais cherchée toutes ces années pour me convaincre. Mes doigts étaient quand même nerveux, et je me repassais dans la tête le mouvement de prendre une bouffée quand A.C. s'est penché vers moi.

— Gustavo est orgueilleux, a dit le père de Carol. Il est orgueilleux d'une manière que je n'ai jamais comprise. Il est orgueilleux d'une manière qui, j'imagine, plaît énormément à ma fille.

Ensuite il a dit quelque chose comme « ma fille est faite en or », mais je me suis dit que j'avais peut-être manqué une syllabe ou deux dans ma compréhension de sa métaphore. Il a poursuivi, en remuant son verre d'alcool.

— Ma fille est faite d'or pur, d'un or dans lequel j'ai passé ma vie à investir. Jusqu'à son mariage, jusqu'à son immigration. Je l'aime autant que j'aime ce pays, est-ce que tu comprends ? Tu comprends. Son mari ne veut pas que j'investisse en *eux*. Il est orgueilleux, il est fier, ce qui n'est pas un défaut en soi, bien évidemment, mais il est fier d'une manière qui ne me revient pas, qui ne m'est jamais revenue. Gustavo n'a jamais rien voulu de moi, ne serait-ce que le moindre petit investissement. Il est *indépendant*. Il est *souverain*. Il ne veut pas que je l'aide, que je *les* aide. Mais qui les aidera, sinon moi ? Qui les aidera ? J'aime ma fille autant que j'aime ce pays, tu comprends ? Et même si ma fille a pris la décision de partir de ce pays, ça ne change rien à l'amour que je lui porte. Le pays reste, lui, et il me la rappelle. Ils ne veulent pas que je les aide, mais ils ne font que des erreurs depuis leur départ. Ils sont *pauvres*. Ils sont *désespérés*. Ils t'ont rencontré. Ils t'ont rencontré et ils t'aiment.

Gustavo t'aime. Carol t'aime. Les enfants t'aiment. Par procuration je t'aime. Tu comprends.

J'étais sur le bord des larmes et de mon siège. Mes mains étaient l'une dans l'autre et se serraient, comme pour signifier une union, une fusion, un amour qui se répandait dans la grande pièce. Pendue au mur du fond, une toile scénique me montrait une jeune esclave mulâtre qui avait les traits de Marion, ses grands yeux pers, ses lèvres insouciantes. Je me perdais dans son visage quand A.C. a remarqué ma distraction. Je suis revenu à lui aussitôt. Il m'a versé une *aguardente.* Il m'a offert un cigare. Le temps s'est étiré considérablement. Il ne manquait qu'un feu crépitant, mais il faisait quarante degrés. A.C. a continué à parler quelques minutes, ou quelques heures, s'est levé, il s'est approché de moi et, en me souhaitant bonne nuit, m'a tendu la main et m'a écrasé les doigts pour une seconde fois. Il a disparu dans une des ombres de la villa.

J'ai attendu d'être dans ma chambre, de m'étendre sur la douillette brodée pour déplier le chèque.

X

Une semaine, c'était bien assez pour organiser le déménagement et tout planifier. Leur retour était prévu pour le huit janvier et je n'avais personnellement rien à faire, sauf signer des factures et serrer des mains.

Tout de suite en arrivant, j'étais allé remettre une lettre officielle au département de l'université, les avisant de mon abandon. J'avais failli croiser mon directeur de recherche dans les couloirs, à qui je n'avais pas donné signe de vie depuis plus de trois mois, mais j'avais réussi à l'éviter de justesse.

Tout de suite en arrivant, j'étais allé visiter des condos ultramodernes sur le bord du canal Lachine, ceux juste à côté du Château Saint-Ambroise, tellement bien insonorisés qu'on n'entend à peine le bruit des travaux du nouvel échangeur. J'avais fait un premier paiement cash sur une hypothèque qui m'apparaissait ridicule. Il y avait une cuisine presque entièrement en inox, un îlot avec des poêlons et des casseroles suspendues. Il y avait un bidet. Il y avait deux chambres de couple et deux chambres d'enfant.

Tout de suite en arrivant, j'étais allé acheter deux immenses drapeaux du Brésil que j'avais fait poser à la manière de rideaux autour de l'immense porte-fenêtre qui donnait sur Verdun, de l'autre côté du canal. J'avais fait repeindre les murs en teintes tropicales et j'avais fait graver au plafond de sa chambre, dans le plâtre du plafond, le logo de l'équipe de soccer favorite de Luca, le América Futebol Clube de Belo Horizonte.

Tout de suite en arrivant, j'avais déposé le chèque qu'Antônio Carlos m'avait glissé dans la main durant la nuit précédant mon départ. Il ne s'était pas réveillé pour me dire au revoir le lendemain et c'était aussi bien comme ça. Je savais que j'aurais eu du mal à cacher mon excitation devant lui. Même durant le déjeuner, il n'était pas là. C'est la mère de Carol qui m'avait amené à l'aéroport dans la petite Honda et qui m'avait souhaité bon voyage. Elle m'avait serré dans ses bras en me promettant mille fois le bonheur, la santé et la paix pour l'année qui commençait.

Tout de suite en arrivant, j'avais commencé à planifier leur retour.

Enseveli par les derniers préparatifs, je suis sorti pour la première fois de mon condo meublé avec dans la main les clés de ma nouvelle voiture, une jolie Mini Cooper rouge, qui m'attendait dans le stationnement souterrain. J'ai fait le tour du quartier, saluant mon ancienne propriétaire au passage, avec qui j'avais réglé mon départ en lui proposant quelque chose qu'elle aurait été stupide de refuser. Mon bras tendu par la fenêtre ouverte, je saluais les gens, je les saluais dans toutes les langues que je connaissais, dans bien plus de langues que la moyenne. J'ai filé vers Atwater, une belle chanson de Tom Jobim dans le stéréo, dans le tapis.

J'allais manger une *feijoada* au Bayou Brasil et, en arrivant à la hauteur de Mont-Royal, j'ai cru voir Marion qui marchait dans la direction opposée. Cette jeune femme qui sortait du Bily Kun, qui portait le même manteau d'hiver et qui a fait un mouvement sec de la tête pour replacer ses cheveux, elle lui ressemblait, mais elle était avec un gars. Elle tenait la main d'un gars, et elle riait. J'ai passé vite, persuadé que j'avais mal vu et que ça ne pouvait pas être elle, que ça ne pouvait qu'être un mirage, ou une autre fille, que ça ne pouvait pas être Marion qui marchait main dans la main avec un gars, un autre gars souriant, un beau gars aux dents droites qui avait l'air de raconter des blagues aussi bien, sinon mieux que moi, et qui en plus portait exactement les mêmes Adidas.

J'ai évidemment trouvé un stationnement tout de suite. La serveuse est arrivée dès que je me suis installé. On s'est souri, comme complices. Je lui ai dit dans un portugais décidé, souple, fluide, absolument et grammaticalement parfait, que je n'avais pas besoin de voir le menu, obrigado, que je savais ce que je voulais, que je voulais une *feijoada* et un *guaraná* et une *coxinha* et des *beijinhos* pour dessert, muito obrigado, que j'en salivais déjà. Elle est repartie en remuant ses jolies fesses au son de la bossa-nova qui sortait des haut-parleurs. Je me suis reculé dans ma chaise pour mieux la contempler et me plonger dans le bonheur d'imaginer l'arrivée imminente de ma famille.

Le séducteur
PORTRAIT V

L E PIRE, il se dit *le pire,* c'est qu'il fait son propre vin, dans des tonneaux en plastique et un minifût de chêne, dans des recoins luxuriants de son deux et demie. Il se dit *le pire,* c'est que je fais mon propre vin maison, et je le bois tout seul.

Il vient juste de fermer la page, après être revenu de la salle de bain, où il est allé s'essuyer avec des kleenex parce qu'il s'en est mis partout, dans le poil en dessous du nombril, entre les doigts, une goutte blanche quasiment à la hauteur du mamelon, et tandis qu'il ramollit dans ses pantalons plein de fenêtres surgissent, qui lui proposent d'agrandir son pénis ou de jouer au poker avec des avatars ou de durer quinze minutes de plus ou de s'inscrire au Facebook du cul.

Il attrape sa souris et essaie de les fermer une par une, et ensuite toutes en même temps, mais la dernière en fait toujours jaillir plus, plus, plus. C'est exponentiel sur son écran, alors il décide de rebooter. Et il se dit *le pire,* c'est que je fais mon propre petit vin pas dégueu, et je n'ai personne avec qui le boire.

Il se lève pendant que son ordinateur redémarre et il est tellement seul dans son appartement qu'il décide de crier une citation de Schopenhauer pour illustrer le vide et lui donner de la profondeur.

Il hurle.

Son chat réagit à peine, couché sur un tonneau de vin à partager, du vin à boire avec ta mère, ma mère, n'importe quelle mère, une mère qui confirmerait qu'il cuisine quand même bien pour un gamin. Il a un relent d'excitation en pensant à une bouche de femme prononçant le mot *gamin.* Le mot *gamin,* adressé à lui, qu'il met dans une bouche avec des caractéristiques précises, pour lui donner corps. Une bouche qui commence à peine à être stridulée aux commissures, qui sait c'est quoi du rouge à lèvres, une bouche qui a la forme d'un con, même quand elle prononce le mot *crampon. J'ai acheté des souliers à crampons, pour mon fils, qui joue au soccer.* Ouf.

Il a un regain d'excitation en visualisant cette bouche avec un grain de beauté et du panache, tout en se penchant dans son frigo, où un pilon de poulet au sirop d'érable s'excuse presque d'être comme ça tout seul au milieu d'une grande assiette. Il pense à du cresson, à de la roquette, à du poivre rose et à son petit vin pas dégueu, et en même temps il pense à la littérature, au fait d'être un intellectuel qui se masturbe lentement mais sûrement. Sa chaise craque. Il pense à une mère, à celle du voisin. Il se dit shit, ça serait bon un genre de Tori Amos slash Juliette Binoche slash Macha Limonchik hyper sexuée et über habile, qui serait à la fois l'essence même et l'existence qui la précède.

Upanishad

ANECDOTE IV

MALGRÉ TOUT, la chose la plus étrange qui me soit arrivée, c'est quand j'ai raté un appel sur mon cellulaire et que la fille électronique sur ma boîte vocale m'a demandé de faire étoile 69 pour avoir un accès direct aux commandes de la Soyouz de mon choix. J'étais dans la douche et, quand j'ai posé un pied mouillé sur la serviette par terre, la sonnerie de mon cell s'est excitée, dans le salon, trop loin pour que j'intervienne. Je me suis dit pas grave, pas de panique, je vais rappeler. Je me suis essuyé correctement, en pensant à des accents étrangers en forme de triangle équilatéral, entendus dans le quartier. Des accents mielleux, nasaux, que tu t'envoies dans le nez comme si c'était de la moutarde de Dijon. Dans le miroir embué, je discernais mes cernes longs comme des bras, qui témoignaient des difficultés intenses que j'éprouvais à l'écriture de mon recueil de haïkus, un premier ouvrage poétique qui m'avait été commandé par mon éditeur. Un recueil qui me poussait à bout, qui me débusquait dans mes retranchements les plus intimes, mes angoisses minimalistes. Dans ma cuisine, sur la table ronde, étaient étalées mes feuilles mobiles, des dizaines de feuilles volantes sur lesquelles j'avais décidé d'écrire à la main, m'éloignant volontairement de l'ordinateur afin d'expérimenter quelque chose de résolument moderne, de résolument nouveau. Il fallait que j'utilise un stylo, il fallait que je m'éloigne de ces vieilles techniques de composition à l'écran, éprouvées, pour me plonger dans cette atmosphère de création pure, nouvelle, inédite. Je n'avais jamais écrit autre chose que de la prose, et là, ça me sautait au visage : tout était plus compliqué que ça en avait l'aìr, placer et déplacer des mots devenait un travail de moine, une création en soi. J'ai relu une ligne ou deux, sans rien corriger, avant de me souvenir de l'appel que j'avais manqué. Les cheveux encore humides, le nez un peu coulant, je me suis dirigé vers le salon, où il me semblait avoir laissé mon téléphone. Je me sentais faible, mes joues chauffaient, ça me rappelait étrangement cette époque lointaine, à l'adolescence, quand Karl, Friedrich et moi, on se disputait pour la dernière dose de M. Net emprisonné dans le sac en papier, cachés qu'on était en dessous de la galerie communautaire à Regensdorf. On se la fermait quand on entendait les pas du concierge ou de Griselda, qui venait arroser les plantes, mais c'était difficile de ne pas rire, chaque fois que l'eau débordant des pots de fleurs menaçait de nous tomber sur la tête, en passant entre les craques du plancher. Karl avait toujours la dernière dose, parce qu'il avait déjà de la barbe et, comme de fait, il émanait de lui une autorité qui te faisait lever les mains en l'air pour dire OK, pas de problème, on partage tout, vas-y. J'ai souri en chassant le souvenir juste au moment où j'appuyais sur la touche 1 pour écouter mes messages. Le cellulaire a eu un petit crachotement, et j'ai pivoté sur moi-même pour capter des ondes, ou un satellite en particulier. Tout est devenu immensément calme, et la voix de la fille électronique a surgi, comme d'habitude, prompte et amène à la fois. Elle m'a dit clairement, comme à moi personnellement, d'appuyer sur *étoile* et ensuite *69* si je voulais contrôler n'importe quelle Soyouz, celle de mon choix. Et j'ai figé tout de suite, ça a été automatique, je n'ai pas eu besoin de contrôler quoi que ce soit, de le vouloir, de le décider, j'ai figé au milieu du salon. Elle a ajouté quelque chose à propos de mon plexus solaire, mais j'étais déjà plus qu'inattentif. La fenêtre était ouverte. Il ne me restait qu'une seule possibilité, dans mon corps inerte, un seul mouvement. J'ai lancé le cellulaire le plus loin possible, le plus loin possible de moi, par la fenêtre, un tir parfait, et j'ai attendu d'entendre le son de l'écrasement, dix-huit bons mètres plus bas.

Vivaldi sur repeat

ERRANCE III

EN TOUT CAS, moi je le croise toujours à Sherbrooke, mais peut-être que tu l'as vu ailleurs, sur la rue Mont-Royal, ou à Namur, je ne sais pas. Sa barbe poivre et sel, ses cheveux gris léchés vers l'arrière, un peu longs, sa droiture. Et son violon. Il joue toujours la même chose, depuis que tu es au secondaire. Déjà en secondaire cinq, tu passais à côté de lui, ta petite mallette à clarinette sous le bras, avec un gros FACE dessus, comme un graffiti blanc de la sécurité publique. Tu passais à côté, et il jouait toujours la même chose. Et maintenant encore, et toujours. Et il va toujours jouer ça, sur son violon.

Il est là pour ça.

Il est là, comme prévu, comme anticipé, par toi et les autres habitants de la ville, dans les souterrains, dans les couloirs Art déco. Il joue du Vivaldi, «L'été» des *Quatre saisons,* depuis toujours. Qu'il le joue bien ou qu'il le joue mal, ça n'a pas d'importance, il va le jouer quand même, et tu vas l'entendre quand même. Il y a des choses pires à entendre que « L'été » des *Quatre saisons* joué par cet homme avec sa barbe, sa droiture et son violon.

Devant lui, son chapeau à l'envers, avec quelques pièces à l'intérieur. Il y a sur son visage, dans ses yeux ouverts et pointés vers le mur en face, quelque chose de mélancolique et de très sérieux à la fois. Tu te demandes si son violon est craquant, quasiment cassé, prêt à se démantibuler de l'intérieur, à imploser, à fendre, ou à se pendre avec ses propres cordes. Ou peut-être que c'est le Violon rouge. Peut-être que cet homme joue sur un Stradivarius volé à des gypsies. Ce n'est pas comme si tu connaissais quelque chose à la musique, au son, aux notes, aux timbres. Tes classes de musique sont loin.

Il se tient droit, une jambe un peu avancée, le pied bien pointé. Les mouvements de son torse et de son buste suivent la mélodie endiablée et tournoyante. Sous les panneaux violets et quadrillés du couloir qui mène à la rue Saint-Denis, à l'ITHQ, au carré Saint-Louis, il joue sans cesse, bougeant. Il joue toujours la même mélodie fougueuse, qui lui décoiffe les cheveux léchés. Il est légèrement en retrait de la plaque bleue avec une harpe dessus, accrochée au mur, derrière laquelle a été glissé un papier plié en deux indiquant que la place est réservée pour le prochain musicien. Il termine le morceau, il tient son violon et son archet comme un violoniste, il se replace les mèches grises derrière les oreilles.

Tu penses qu'il a l'air d'un violoniste. Le menton, la posture, les yeux pleins de sérieux, les rides verticales qui strient son front quand il joue. C'est l'image que tu te fais d'un violoniste.

Depuis le secondaire, tu passes à côté de lui. Devant lui, parfois, tu siffles, pour l'accompagner, en marge de son violon, parce que « L'été », ça se siffle très bien. Parfois, quand tu sors de la station, il y a la mélodie qui te reste dans la tête, et tu as envie de la siffler dans la rue, pour croiser le regard des gens, pour croiser des yeux, les yeux des gens qui savent de quoi tu parles.

Une fois, tu t'es presque arrêté pour l'écouter jusqu'à la fin, pour entendre les dernières notes, et le voir replacer ses mèches. Tu as ralenti le pas, les mains dans les poches, le cuir chevelu ému par la beauté de Vivaldi. Ses yeux étaient fixés sur le mur, en face de lui, jamais fermés. Tu as traversé ce regard en continuant de marcher, tout droit, vers l'escalier roulant. Quand tu es arrivé à la maison, tu as téléphoné à ton frère pour lui emprunter le CD, la version qu'il a depuis toujours, qu'il t'a fait connaître. Celle avec mille violons de plus que dans le métro. Mille violons bien accordés.

Salamandre

PROFILÉS sur le mur en béton, armés, deux, non, trois, tuques noires, chemises noires, gants noirs, pantalons noirs. Le premier, celui qui regarde parce qu'il est au coin et que le mur se termine là où se termine son épaule, se retourne et chuchote quelque chose que j'entends mal. Ça sonne clairement dans l'oreille de l'autre qui hoche et le répète au troisième qui hoche, c'est un ordre ou un commandement, c'est quelque chose de sérieux, il n'y a pas de sourire ou de fou rire qui jaillit de la bouche de l'un ou de l'autre. Sérieux comme des roches noires, toutes noires, sur le bord de la rivière, sur la rive, avec le vent qui agite les roseaux mais qui laisse les roches immobiles, laisse les roches dans leur sérieux mortuaire et millénaire. Le premier lève son arme qui est noire dans son gant de cuir noir et les deux reluisent sous une petite lumière et il pense qu'au fond ça n'arrive jamais qu'on soit dans le noir total.

Une lumière toute faible les surplombe, surplombe exactement le deuxième, perchée, pendue, accrochée, juste au-dessus de lui, et comme un cône descend sur eux, plus un cône qu'un triangle, ce serait symétrique si le troisième se tournait, si le mur finissait de son côté aussi, si son épaule touchait le coin et qu'il levait son arme. Il ne le fait pas, tourné vers le deuxième, et le mur s'allonge au loin dans son dos. Une déchirure dans sa chemise, sur la manche, découvre la peau en dessous et il tient, dans son poing fermé, une crosse. Il pense qu'au fond il ne sait pas vraiment ce que c'est un cran d'arrêt.

Une crosse de métal noir avec un quadrillé fin, et il n'y a pas de ligne de démarcation au milieu pour séparer les deux parties du moule en plastique. Armés avec des armes en métal lourd, des armes en métal, lourdes. Les deux ont hoché, ont approuvé le signal et il a levé son poing ganté et il jette un coup d'œil là où il a l'intention d'aller dans l'obscurité, là où le cône de lumière se perd dans la notion d'espace, ils vont juste longer l'autre mur adjacent. Il se retourne une dernière fois, c'est une minuscule hésitation, comme un tic, quelque chose de nerveux, d'esquissé, sa tête pivote lentement, mais avant d'être arrivée en arrière elle revient en avant très vite, comme une tête d'imprimante ou un tube lumineux dans une photocopieuse, sauf qu'il ne le fait qu'une fois. Le deuxième, celui du milieu, renifle, et c'est aussi un tic, une chose qu'il fait sans en avoir besoin, sans en avoir besoin vraiment et il pense qu'au fond il va mourir en se raclant la gorge.

Une chose qu'il fait sans en avoir besoin physiquement, comme se gratter, et il enroule sa main gauche autour de sa main droite, qui tient son arme, les doigts écartés, le pouce derrière le pouce et l'auriculaire dans le vide, plus bas à cause de la détente. À cause de la détente, qu'on ne tient qu'avec l'index, et les neuf autres doigts enserrent et tiennent fermement l'objet. Ils vont agir, quelques instants encore d'immobilité et ensuite ils vont agir, les trois d'un seul geste commun. Ils vont se suivre comme des canetons sans cane, indépendants, noirs et instinctifs. Et en colère, une colère silencieuse et dirigée le long du mur à angle droit.

Le premier fait un pas latéral, en envoyant sa jambe en demi-cercle, l'arme pointée vers le haut, encore. Il sort du cône lumineux et s'engage dos au mur, le dos collé au mur, et il marche en crabe, croisant ses pieds à chaque pas, et les deux autres le suivent et ne font pas de bruit de bruissement de cuir ou de claquement de langue. C'est comme un film muet sans les grésillements de la bobine et sans les taches courant sur l'écran, les lignes qui divisent l'écran, les mouchetures qui apparaissent et disparaissent, les défauts dans la bobine ancienne, sans son, et surtout sans le piano ragtime, et sans les mouvements un peu trop rapides pour être réalistes. Les mouvements sont lents, précis, formés dans cette partie du cerveau qui dicte, et qui contrôle, et qu'on contrôle quand on est dans un certain état d'esprit. On dit adrénaline et ce sont des particules de jus qui s'activent, et qui émettent des ondes, et qui réglementent les mouvements précis, calculés, efficaces. Des mouvements dans lesquels il ne peut pas y avoir d'erreur ou de faute, c'est trop concentré, trop réglé sur des millions de particules de jus sanguin en pleine ébullition.

Leur marche est saccadée, cadencée, chorégraphique, le long du mur en béton. J'ai de la difficulté à saisir, à bien assimiler ces pas répétitifs, un pied par-dessus l'autre, en gauche-droite, sans défaut de composition. Ils passent sous une lampe de lumière fade, qui crépite, et c'est un son qui n'était pas là, qui s'est mis à exister à leur approche. C'est peut-être l'électricité statique, la réaction de leur cuir noir avec la lumière, qui la fait crépiter, de la statique de haute fréquence, à plus de deux mètres de distance. Le cuir, ce qu'il représente, qui s'élève dans l'air jusqu'à l'ampoule blême, et qui se bat avec elle, et ça fait éclater quelque chose en microsecousses clignotantes. Le son, à intervalles irréguliers, finit par s'éteindre, par laisser la lumière n'être rien d'autre, alors qu'ils le dépassent lentement, vraiment très lentement, conscients de ce qu'ils font. Les mouvements lents qui veulent dire je sais ce que je fais, je sais où je vais, je sais quelle action poser, quels muscles activer. Ils avancent latéralement, avec leurs armes dans les mains, et ce sont des tueurs, je viens de le comprendre.

Il y a cette ambiance, on dirait que je regarde une salamandre qui sort de l'eau de l'étang, et qui se déplace dans un mouvement si imperceptible que je perds le cours des événements, jusqu'à ce qu'elle soit en train de me sucer le visage.

— Tu lui prends les pieds pis tu les tires vers toi.

— Je lui prends les pieds pis je les tire… Je peux pas tirer juste les pieds.

— C'est une façon de parler. Tu tires ses jambes pis son corps va venir avec.

— Toi, tu vas pousser ses bras?

— Non, je vais pas, je vais prendre ses bras, je vais les soulever, pour le porter.

— Faque il va avoir le cul par terre.

— Le cul.

— Si moi je tire pendant que toi tu le tiens par les bras, son cul va traîner par terre.

— Hm hm.

— Faque?

— Si tu veux tu peux lever un peu les bras pour que ses jambes soient plus hautes, pour que son cul soit dans les airs, mais personnellement je m'en sacre.

— Moi aussi, c'était juste une constatation.

— Dis-lui de jeter sa cigarette.

— Pourquoi?

— Parce que ça sent le crisse, sans compter que ça pourrait nous faire repérer, choisis l'ordre.

— Pourquoi tu lui dis pas toi-même?

— Dis-lui.

— Dis-lui, toi.

— Jette la cigarette.

— Quoi?

— Jette la cigarette à terre, écrase-la, ramasse-la, mets-la dans ta poche pis fais comme si de rien n'était.

— Pourquoi ?

— T'es con ou quoi ?

— Jette-la, fais ce qu'il te dit.

— Il m'énerve. Pour qui il se prend ?

— Fais pas chier, jette la clope. De toute façon, t'étais pas supposé avoir arrêté ?

— Prends ses pieds pour tirer.

— J'ai du sang sur la chemise.

— Pourquoi tu dis ça ? Je le sais je le vois. Pourquoi tu le dis ?

— Je le dis. Je le dis, parce que. Parce qu'on dit ces choses-là. À haute voix, on dit les choses à haute voix dans la vie, même si on le sait, on dit j'ai du sang sur la chemise, j'ai le bras cassé, j'ai la variole, je sais pas moi, on les dit ces choses-là. On les dit.

— Prends ses pieds. Dis-lui de venir m'aider avec les bras.

— Pourquoi tu lui dis pas ?

— C'est toi qui lui parles.

— Pourquoi ? Pourquoi c'est moi qui lui parle ?

— Tu lui parles.

— OK, je lui parle. Viens l'aider avec les bras.

— Avec les miens, avec les siens, ou avec ceux du mort ?

— Ta gueule.

— Tu vois, toi aussi tu lui parles.

— Je lui parle pas. Dis-lui de se grouiller.

— Grouille-toi.

— Je me grouille.

— Vous savez c'est qui?

— Qui?

— Lui.

— C'est qui?

— Je sais pas. Vous le savez?

— On s'en fout c'est qui, on le tue, on s'en débarrasse, on sait rien.

— C'est peut-être Chose Lacroix.

— Qui?

— Le cravaté.

— Lui?

— Oui. Le cravaté, là.

— Lui, un cravaté.

— On sait pas.

— On s'en fout, j'ai dit. On s'en fout. Fermez-la une bonne fois.

— Pour qui il se prend.

— Je sais pas. Estie. J'ai plein de sang sur la chemise.

Ils sortent dans la pénombre, ce n'est pas vrai, c'est noir, tout est noir sur eux, et autour. Le premier a fait comme un geste autoritaire et je l'ai ressenti jusque dans les aisselles, et ça a été le silence. Les deux autres ont cessé de parler, il y a une cohésion dans les regards, droit devant, et les pas lourds à cause du poids. Ils traînent le long du mur, le même, jusqu'à arriver à l'angle droit, s'arrêtent, déposent. L'intersection, le cône, et le premier plonge l'œil dans la bonne direction et constate que la noirceur se rend jusqu'au bout, et qu'il n'y a personne, pas de silhouette, pas d'autres hommes qui auraient pu se trouver là, à les attendre, avec des menottes et une lampe de poche braquée sur eux et dans leurs yeux. Il enfonce sa tuque sur ses oreilles, et dans une main il a une arme à feu, comme une entrave, donc ce côté est moins bien enfoncé, alors il essaie de rétablir l'équilibre à l'aide de sa main libre, mais ça ne marche pas bien, alors il prend l'arme dans l'autre main et enfonce sa tuque comme il faut jusqu'aux lobes. Les lobes à l'intérieur, il se retourne et chuchote quelque chose que je n'entends pas bien, quelque chose qui veut dire que la voie est libre, et au-delà de sa tête noire flotte une odeur de sang séché, à peine perceptible, pas vraiment vigoureuse, mais proche, deux ou trois enjambées et ils sont à la voiture.

Tout ça ressemble à un détail dans un livre d'art, un livre sur les grands peintres, où on nous montre de la toile uniquement un petit carré découpé dans le coin inférieur droit. Un carré où il y a les pieds de la ballerine, quelques lattes de bois lustré et un tabouret avec un chat dessus, et c'est le détail, le détail pour dire regardez, ce n'est pas la vérité de la toile, mais c'est la vérité de l'œuvre, ou c'est pris au hasard, mais c'est justement ce qui en fait la force. L'important dans tout ça, comme miniaturisé dans un espace clos, où il manque des éléments, c'est de diriger notre regard sur ceux qui sont là. Ses mains repassent discrètement sous mes bras et je sens un de mes souliers qui glisse en entendant un juron, les pieds qui se soulèvent, et je me sens ballotté, toute la cage thoracique en feu.

Le deuxième et le troisième ne parlent plus, c'est silencieux partout aux alentours. Le premier a à peine ouvert la bouche, il s'est contenté de dire les choses essentielles, accordées à ses mouvements, à ses gestes d'instinct. Ils m'ont repris en mains, et maintenant ils me hissent dans un coffre. Il y a un immense bruit, un boum qui dure l'éternité, qui explose dans mes oreilles et qui ne s'en ira plus.

Le démon
PORTRAIT VI

I L S'EST COGNÉ le front sur le haut du cadre de porte, comme d'habitude quand il a trop bu de scotch la veille, et qu'il oublie qu'il mesure presque sept pieds quand tu y penses, quand tu le regardes avec tes yeux de taille normale. Ce sont tes yeux à toi qui lui donnent cette hauteur, cette prestance. C'est exagéré, mais il se cogne quand même, parce qu'il a tout oublié, même la distance entre ses idées et leur application dans le monde réel.

Tout semble extrêmement proche, palpable, comme une lecture compliquée sur le pragmatisme au dix-neuvième siècle. Il pense qu'il a une influence sur tout, que la bosse qu'il va avoir sur le front est un signe de cette influence, et aussi que cette influence qu'il a sur le monde se traduit par la vision floue et pigmentée et pastorale que le monde lui renvoie.

C'est logique, mais il a un haut-le-cœur.

Il s'est cogné le front, comme d'habitude, et maintenant il s'assoit tranquillement sur une chaise de nain, en gardant une main sur son cœur, pour l'empêcher de remonter le long de son œsophage, et l'autre sur le dossier, pour se donner une contenance, si minuscule soit-elle. Son crâne bouge, c'est indéniable. Son crâne, la peau du crâne, les cartilages s'activent pour créer une bosse.

Il a tellement d'influence sur l'univers qui l'entoure que les armoires et le frigo s'approchent et s'éloignent. La porte du frigo s'ouvre et il a l'impression d'entendre William James et John Dewey et Charles Sanders Peirce lui murmurer des choses à l'oreille. Des choses qui ont à voir avec le scotch, l'empirisme, la différence entre le positivisme et l'idéalisme, avec la conceptualisation de la sémeiosis, en deux tomes qui sentent le gras de canard.

Il s'appuie sur le dossier de la chaise de lilliputien et se cogne le front sur la porte de la salle de bain et se recouche dans son lit en même temps.

Il fait tellement tout en même temps, il fait tellement de gestes en même temps qu'une deuxième bosse se dessine, mais ce sont plutôt des cornes, même si c'est toi qui le vois comme ça, avec tes yeux sobres et tes clichés de tempérance. C'est exagéré, tu le sais, mais il se cogne quand même, ça ne change rien. Et ça ne change rien au fait qu'il pense au *mal* tout à coup, avec deux cornes dans le front. Deux fois plus grand que Bacchus, un recueil d'essais difficiles de C.I. Lewis sous le bras, il pense au mal, et au mal par le mal, et aux remèdes-

chocs qui conviennent, qui neutralisent, qui décons-
truisent des notions comme la vérité et le mensonge,
comme la realpolitik du quotidien.

Ses mains sont grandes et ses bras sont longs, tu le fais
ressembler à un Pan dans ton imagination, parce qu'il
a à la fois de la carrure, du panache et de la duplicité.
Il sort un bol de lutin d'une des armoires, se verse des
céréales et décapsule une bière, tout en même temps,
dans un même mouvement circulaire.

Il pense au scotch, et au mal par le mal, et à combattre pour des causes et pour des effets. Il est prêt à
arriver à ses fins. De toute façon, il a senti le lait dans
la pinte, et le souffle chaud et diabolique généré par
ses poumons l'a fait cailler instantanément.

Donnacona

ANECDOTE V

MAIS MALGRÉ TOUT, la chose la plus étrange qui me soit arrivée, c'est quand je me suis aperçu que pendant une fraction de seconde, entre deux images de *Persona* de Bergman, apparaissait l'Indien de Radio-Canada. J'étais bien ancré dans mon sofa IKEA rouge en velours côtelé, et je fumais la dernière cigarette de ma vie entière, bien décidé encore une fois à arrêter. Je prenais des bouffées longues et comme goulues, presque sensuelles, les lèvres bien enroulées autour de la cigarette, touchant les doigts, les yeux quasi fermés, concentré sur le film se déroulant devant moi. C'était ma dernière cigarette et je voulais qu'elle soit cérémonieuse, mais en même temps je voulais m'en foutre, ne pas en faire toute une histoire. J'entendais mon plafond être le plancher des voisins d'en haut, et ça me dérangeait dans mon appréciation tranquille de Liv Ullmann qui se transforme en Bibi Andersson et vice-versa, et ça chamboulait mon admiration sincère pour les choses que je ne suis pas sûr de comprendre. Sans compter que j'étais épuisé, complètement à terre de travailler jour et nuit, de m'acharner sur ce livre infernal qui me taraudait, me triturait, me coupait les cheveux en quatre. J'étais là, exténué, devant l'écran, devant ce chef-d'œuvre, à me demander ce qui m'avait pris d'accepter cette commande d'écrire une hagiographie de Christopher Hitchens en deux tomes, moi qui m'étais spécialisé dans le conte court. J'étais tout sauf un biographe et voilà que j'étais en train d'écrire, de composer, de noircir des milliers de pages manuscrites avec des transitions, des événements réels, des souvenirs clairs, nets, miraculeux. Ça me rendait fou juste d'y penser. Le film continuait. Je fumais ma cigarette, j'étais heureux qu'elle s'allonge, qu'elle dure indéfiniment. J'étais anxieux, fatigué et émerveillé à la fois. Ça me rappelait étrangement cette période sombre de ma jeunesse, quand Andrzej, Witold et moi, on pétait la gueule au petit Oskar qui nous ennuyait avec son tambour. Tous les jours, quasiment tous les jours, on l'attendait sous un des quais, au nord de Gdańsk et, l'innocent, il passait toujours par là. Il passait toujours, c'était immanquable. On l'attendait en fumant des joints, et on se mettait tout à coup à l'entendre, ses petites baguettes sur son petit tambour. Witold jetait le mégot dans la Baltique, Andrzej se craquait les jointures, je me mordais la lèvre d'en bas, et on lui sautait dessus. Je ne sais pas combien de fois on a fait ça, on était comme sans arrêt, à cette époque-là, dans un brouillard, la tête fumante, les tympans de roche, le coup de poing facile et rapide. Le souvenir me gargouillait dans le ventre quand j'ai tout à coup fixé l'écran. Mes pupilles se sont dilatées et je me suis lancé sur la télécommande du DVD. J'ai fait pause, arrêt sur image, arrêt sur la face de Bibi en gros plan, et j'ai reculé dans un ralenti extrême jusqu'à l'endroit fatidique. C'était indéniable : devant mes yeux éberlués se dessinait l'Indien de Radio-Canada, avec ses plumes, et les espèces de mandalas autour de lui, l'Indien qui indiquait la fin des programmes, dans le temps. Seulement une image parmi les vingt-quatre d'une seule seconde, mais impossible à contredire, réelle comme moi qui la voyais, qui la confrontais, abasourdi et apeuré. Ça m'a pris tout mon petit change, et une brûlure de cigarette entre les doigts, pour recommencer à bouger.

Brève histoire du temps

ERRANCE IV

QUAND J'EMPRUNTE la ligne jaune pour me rendre chez mes parents, je le vois du coin de l'œil, au plus profond de Berri. Dans ma tête, je l'associe au son du métro qui va partir, à la sonnerie qu'on entend, qui fait courir tout le monde. Je le regarde du coin de l'œil, rapidement, pendant que mes jambes se font aller, que je tiens mon sac à dos par les bretelles, pendant que je cours pour attraper le train. Je me dis que je suis chanceux d'avoir ces jambes, une pensée furtive, qui implose entre mes écouteurs.

Il est là, sur le coin, à cette intersection de couloirs où les gens arrivent de Longueuil ou s'en vont à Longueuil, en marée humaine ponctuelle. On ne pourrait même pas dire *assis* parce qu'être assis c'est le contraire d'être debout et tu doutes qu'il ait jamais été debout dans sa vie. Il est paralysé. C'est un paralytique, un quadriplégique. Ou peut-être qu'il a une sorte de paralysie cérébrale. Oui, tu crois que c'est plutôt de ça qu'il s'agit, parce que la tête bouge, les mains aussi, les mains bougent. Au bout des mains, de longs doigts fins, crispés. Il est positionné dans une chaise roulante.

Il porte toujours le même chandail jaune moutarde quand tu le vois.

Tu te demandes comment il a pu arriver à cet endroit. Quelqu'un l'y emmène, un inconnu, une *personne de la ville.* Cette expression te reste dans la tête, parce que tu crois que des *personnes de la ville* sont peut-être payées pour amener, transporter, venir chercher, déposer, porter, des gens comme lui aux quatre coins du réseau souterrain, pour leur permettre de quêter. Alors tu te poses la question : il quête pour lui-même ou pour des œuvres caritatives ? Peut-être qu'il y a un lien avec l'Oratoire, avec le frère André.

Ses doigts sont tellement crispés, on dirait qu'il fait pousser ses ongles par la seule force de sa volonté.

Chaque cinq ou dix minutes, une foule immense, dense, passe autour de lui, se déplace autour de lui, part dans toutes les directions. Il y a une petite pancarte de carton mal découpée sur ses genoux, gribouillée au crayon feutre noir : *Donnez SVP.* Parfois, quand tu te promènes sur Sainte-Catherine, tu le confonds avec un autre homme, souvent installé au coin de Stanley, qui utilise une paille sur un des bras de sa chaise roulante pour se déplacer. Il souffle dans la paille et il a aussi un petit clavier électronique pour prononcer des mots. Ça donne à peu près le même son que ces appareils pour les anciens fumeurs avec un trou dans la gorge.

Parfois tu te mélanges, tu as l'impression que c'est la même personne, mais non. Tu penses que c'est probablement parce que tu as des jambes et pas eux. Tout se mêle dans ta tête, ils se ressemblent tous.

C'est comme cette femme qui jouait de la flûte proche du Ogilvy, qui avait une mâchoire étrange, une mâchoire flexible qui lui permettait de se couvrir le nez avec la lèvre d'en bas, cette femme qui s'est fait frapper par une voiture il y a quelques années, tu as l'impression de l'avoir croisée l'autre jour. Mais c'est impossible, elle est morte, tu l'as lu dans le *24 heures*.

Il bouge la tête dans tous les sens, avec ces mouvements incontrôlables des paralytiques, qui ressemblent à de la passion. Sa bouche se tord. Il attend quelques pièces de monnaie. On dirait qu'il est nerveux, mais c'est une illusion. Au fond, il est peut-être très calme, il est simplement incapable de ne pas remuer la tête et le torse. Ça vient tout seul, ça explose. Une fois, tu as cru entendre le son du métro qui allait partir et tu as fait un faux mouvement, commençant à courir tout en arrêtant de courir. Tes pieds se sont pris l'un dans l'autre, dans les fleurs du plancher de dalles grises, quelque chose du genre. Tu es tombé juste devant lui, sur les genoux. Ça t'a fait très mal, mais tu as évité de te plaindre en te relevant. Tu lui as lancé un petit sourire, riant sans orgueil de ta maladresse, et tu es reparti vers le train, au bas des marches, en te frottant les tibias douloureux.

On ne sera pas sauvés
par le velcro

J'AI SOUVENT APPRÉHENDÉ la fin de l'humanité comme une superbe coïncidence. Une faille dans la théorie des probabilités. Un renversement de la statistique. Simplement parce que toute statistique, prise dans le filtre de la réalité, devient absurde. Je joue avec cette idée. Vous voyez, d'après moi, une fois dans l'avion, la seule équation possible est je tombe ou ne tombe pas. Je m'écrase ou ne m'écrase pas : oui ou non. Je meurs ou ne meurs pas. Dans la vraie vie, loin de l'abstraction des nombres, tout se résume à oui ou non. Les chances sont donc égales : cinquante, cinquante. Et ce, dans tous les domaines, à toutes les époques, dans toutes les maisons de toutes les villes de la planète. Je sais bien que ce modèle ne fonctionne pas, que ce n'est pas *logique,* que j'ai une perception vulgairement binaire de la réalité, là n'est pas la question. La question, c'est la peur. C'est de savoir, de comprendre que, devant la toute-puissance de la peur, aucune statistique ne tient la route. Je sais que je ne me fais pas bien comprendre, peu importe. Je ne veux pas induire la probabilité en erreur, je ne veux pas la chambouler, je ne la remets pas en question dans sa perfection froide et lisse. Je dis seulement qu'en traversant la rue, trop souvent, je *vois* littéralement la voiture m'écraser; qu'en passant sous une fenêtre, je *sens* sur ma nuque le picotement prémonitoire du piano qui s'en vient. Je dis qu'à chaque seconde, je meurs d'une certaine façon. Et vous aussi, et tout le monde. Et je dis qu'on l'oublie.

Il m'est donc souvent arrivé d'entrevoir cette seconde possible, envisageable, oui, pourquoi pas, où tous les humains meurent. En une seconde. Une seconde d'absolue méchanceté du sort. Pas que je croie au destin, non, ce n'est pas ça. Cette seconde, ou plutôt cet *instant,* marquerait l'oblitération totale de l'être humain. Soyons clair : brusquement, et pour prendre un exemple au demeurant incroyable, tout le monde s'empêtrerait en même temps, sur toute la Terre, dans ses lacets, et se trouverait à proximité d'une fosse, ou d'un brasier, ou d'une grille aux extrémités pointues, ou d'un lac, pour ceux qui ne savent pas nager. On me suit? Et tous de s'effondrer, qui dans sa fosse, qui dans son feu, qui dans son eau. En même temps, en un instant, en une fraction de seconde qui coïnciderait dès lors avec l'extinction de l'espèce. Ne me dites pas que c'est impossible, que c'est invraisemblable, j'ai tout prévu. Tout, même ce geste désespéré de chaque pilote dans chaque avion de chaque corridor aérien qui, s'apercevant de la faillibilité des boucles de ses chaussures, se penche et se cogne le crâne sur le manche ou le pilote automatique, ce qui obligatoirement dérègle la trajectoire de l'appareil qui s'écrase n'importe où. Tout ça au même instant fatidique.

Et les enfants qui ont des souliers à velcro, me direz-vous, ils survivront, ils ne seront pas éliminés, sauvés par leur ignorance. À cela je répondrai que, dans ce plan diabolique, nul n'est épargné. Pas même nos enfants, nos chers petits enfants. Il n'y a pas d'issue. Simplement parce que c'est dans la main de l'adulte que se glisse celle de l'enfant, que se réfugient son innocence et sa fragilité. Un adulte qui tient la main d'un enfant, pour le protéger des dangers du monde, l'entraîne dans la mort. C'est bien connu, dans un sursaut d'anxiété, les membres se contractent. Ainsi, l'adulte tire, avant de sombrer, sur cette petite main innocente. L'adulte applique une pression, l'enfant pousse un gémissement, et le meilleur velcro est impuissant devant l'irrémédiable.

Car c'est irrémédiable, je vous l'assure. Les probabilités ne veulent rien dire, elles tendent à schématiser, et elles sont beaucoup plus dangereuses que n'importe lequel de mes cauchemars. Et quand ça survient, on est étonnés. On ne devrait pas. Les probabilités sont là pour écarter la peur. Mais la peur, elle est là pour quoi ?

11

Comme tout le monde, c'est en lisant le journal que j'ai appris la mort d'Ariane. Je suis friand de faits divers et je n'ai donc pas fait le lien tout de suite. Cette histoire m'a tout d'abord réjoui, je dois l'avouer. J'ai esquissé un sourire et je me suis imaginé la scène, dans toute son atrocité. Son nom n'était cité qu'en fin d'article, et j'avais levé les yeux du journal dès les premières lignes pour me plonger dans une rêverie un peu perverse. Je ne cacherai pas que ce genre de scénario morbide me stimule et me titille l'esprit.

Je voyais nettement les mains de l'assaillant se refermer sur le cou de cette femme et serrer, serrer jusqu'à l'asphyxie. Jusqu'à ce que les deux s'écroulent : elle morte et lui se relevant lentement, prêt à faire face aux conséquences de son geste. On disait dans l'article qu'il s'était aussitôt livré à la police, pris d'une crise délirante d'autojustification. Je fermais les yeux et cherchais à imaginer le discours de cet homme perdu.

Évidemment, dans ce monologue que je forgeais à mesure, il n'y avait pas trace de remords ou de regret. Il n'y avait que de la passion et de l'amour véritables pour cette pauvre femme qu'il avait assassinée. Oui, son amour était clair, c'est ce qui ressortait nettement de son discours. Un sentiment si fort qu'il se voyait dans l'impossibilité de le partager, ou de le transmettre correctement. Je plaçais les phrases les unes après les autres, sans fil conducteur, et de cette façon je reconstituais le profil du tueur.

Ma première réaction a été de lui donner raison, sur-le-champ, comme à un homme qui abat son cheval mourant. Il le tue par compassion, parce qu'il sait que sa souffrance est insurmontable et inutile. De même, cet homme la voyait vivre, s'écarter de lui, s'enfuir petit à petit, et se devait de réagir. Son amour devait triompher de cette évasion sans retour. La beauté de cette femme, c'était sa faiblesse, car on sait tous qu'une belle femme est malheureuse. En l'étranglant, il la libérait, il la sauvait de la souffrance. De leur souffrance commune. J'en suis venu à me dire que sa mort était inévitable, étant donné que toutes les probabilités prédisent la réussite des gens physiquement désirables.

III

J'ai terminé mon café tranquillement, le regard dans le vague, en déroulant dans ma tête une série d'hypothèses quant à la mise en mots de ce discours qui me harcelait. J'en soutirais une foule de possibilités esthétiques qui rehausseraient l'ambiguïté de la situation. La position du meurtrier, physiquement et moralement, m'apparaissait comme une porte d'entrée inusitée sur l'imaginaire. Je m'engouffrais dans cette psychologie à la fois tellement déroutante et tellement réelle. J'en évaluais les avenues, les détours, les cahots. Je cheminais sur cette route bordée de panneaux indicateurs, je commençais à m'exciter vraiment, quand mes yeux sont revenus sur l'article afin d'en examiner les détails concrets. Je ne voulais pas inventer. Je ne voulais rien savoir de l'invention. Ce que je voulais décrire, c'est ce qu'il avait dit au moment de sa déclaration aux autorités. Rien de plus. Rien d'autre ne m'intéressait. Jusqu'à ce que le coup de fouet me pulvérise le visage.

L'article se terminait sur cette phrase : «La famille de la victime, Ariane C., invite les proches et les amis aux funérailles qui se tiendront en l'église Saint-Zotique, au 4565, Notre-Dame Ouest, mercredi prochain, à midi.»

Un coup de fouet cinglant, incroyablement vicieux. Je me suis levé de ma chaise, j'ai regardé autour de moi, en appelant à l'aide en silence, les quelques clients attablés sont restés interloqués par la soudaineté de mon geste, je me suis rassis, j'ai relu l'article. Je l'ai relu quatre fois. À la cinquième, je me suis relevé, j'ai laissé de l'argent sur la table et suis parti. Je suis revenu dans le café, j'ai attrapé le journal et mon manteau et suis sorti dans l'air froid. J'ai marché rapidement vers chez moi et en arrivant je me suis écroulé dans un fauteuil. Je me suis levé pour aller chercher des cigarettes dans la cuisine et suis revenu m'écrouler de nouveau. J'ai allumé une cigarette et suis allé me servir un verre d'eau. J'ai relu l'article en fumant et je me suis brûlé avec le mégot. J'ai jeté le journal par terre et je me suis presque mis à pleurer. Presque, parce que je ne pleure jamais.

Je me suis allumé une seconde cigarette et je me suis mis à réfléchir. Tout basculait dans l'irrationnel. C'était inacceptable, c'était impossible. Absolument impossible. Que je me retrouve là, assis dans un fauteuil à fumer et que je sois à ce point en état d'alerte, que je sois à ce point sous le choc devant la fatalité, c'était totalement inconcevable.

IV

J'ai connu Ariane dans ma librairie d'occasion, en plein milieu de ma vie et de mon métier. Je ne suis pas le genre de libraire qui s'immisce dans l'intimité de ses clients, mais son profil, de là où je me trouvais, derrière mon comptoir, était si invitant que je n'avais pas pu m'en empêcher. Je m'étais dirigé vers elle, louvoyant entre les piles informes de livres que je n'avais pas eu le temps de classer, me frayant un passage jusqu'à son épaule, où je m'étais mis à lire avec elle la quatrième de couverture d'une pièce de théâtre élisabéthain.

Sans s'apercevoir de ma présence, elle a poussé un soupir, fait non de la tête et a replacé le livre sur l'étagère. Je sentais son parfum, j'avais l'impression d'être un spectre qui murmurait des prières à son oreille.

Prenant l'initiative :

— Vous aimez le théâtre ? Je pourrais vous faire quelques suggestions.

— Quoi ?

— Non, je demandais si vous aimiez le théâtre. Vous avez besoin d'aide?

— Oui. Peut-être. En fait, il se trouve que je cherche quelque chose en particulier, mais… Ça va vous paraître absurde… Je ne suis pas sûre que ça existe.

— Vous voulez dire que vous ne savez pas si la pièce que vous cherchez a été publiée? Je comprends, c'est difficile, surtout pour le théâtre, mais j'ai quand même une bonne coll –

— Non, ce n'est pas vraiment ça, je… C'est au sens propre, dans le sens propre : je ne sais pas si la pièce *existe*.

— Je ne comprends pas.

— Oui, ça semble étrange, moi aussi je trouve ça étrange… J'ai… rêvé à une pièce il y a deux nuits… C'était vraiment comme une pièce, je veux dire, ce n'était pas comme un rêve avec une histoire et tout, c'était une pièce, je le savais… Je n'étais pas pour autant dans le public, mais je savais que c'était une pièce. Et voilà, je… Je fais le tour des librairies depuis ce matin pour trouver quelque chose qui s'en approche…

— C'est vraiment fascinant, quelle était l'histoire, qu'est-ce que ça racontait?

— C'était l'histoire de deux jeunes amants qui ne pouvaient pas s'aimer à cause de la haine ancestrale entre leurs deux familles. Ça finissait vraiment mal.

— Non, ça ne me dit rien, je ne vois pas.

— Non?

— Mais vous dites que, dans votre rêve, vous étiez consciente de l'aspect théâtral, et que vous ne faisiez pas partie du public.

— Oui, c'est ridicule, je sais.

— Non, pas du tout, c'est tout à fait fascinant, ça veut dire que vous êtes l'auteure. Ça veut dire que c'est votre pièce, que vous devez l'écrire, sous une forme ou sous une autre… J'ai moi-même quelques prétentions d'écrivain, mais jamais je n'ai eu la chance d'avoir de ces rêves prémonitoires…

— Oui, mais le problème, c'est que je ne suis pas écrivaine. Peut-être pourriez-vous l'écrire pour moi et me la faire lire. Comme ça, elle sortirait de ma tête et j'en serais débarrassée, d'une certaine façon.

— Ça m'intéresse, mais votre proposition implique que nous nous voyions sur une base régulière.

Je jurerais que ça s'est passé comme ça. Et Dieu sait si ce n'est pas là où je voulais en venir depuis le début, à cet échange de bouts de papier griffonnés, d'empreintes digitales, d'encre sur le bout des doigts. Ariane était vraiment jolie, le genre de femme qu'il est impossible de garder pour soi, qui fait partie, d'une certaine manière, du domaine public.

Je ne sais combien de fois j'ai fantasmé sur cette première rencontre, la transformant en cocon d'histoire d'amour. Je ne sais combien d'aventures libidineuses je nous ai inventées, mais elles sont toutes restées à l'état de matière première. Jamais je n'ai modelé un quelconque sanctuaire dans sa chair nue. Je ne l'ai jamais touchée, je ne l'ai jamais vue nue. C'est tout. Parce qu'elle aimait cet homme.

Cet amour, comme je le lui ai souvent reproché, était pathétique. Par des raisonnements froids et des sophismes qui m'apparaissent grotesques à la lumière de cet article annonçant sa mort, je cherchais à la convaincre de l'absurdité d'une relation aussi romantique, de l'étroitesse d'esprit que cela représentait. Je ne m'en veux pas de ces démarches, je ne les renie pas, là n'est pas la question. Pourtant, il est étrange de les comparer avec la thèse fondamentale exposée dans ce projet commun qui servait de prétexte à notre amitié.

Avant tout, soyons clair, Ariane a été pour moi un catalyseur vers la reconnaissance du milieu. Pas celle que je recherchais exactement, mais tout de même. C'est facile à dire maintenant, mais j'ai écrit la pièce dont elle avait rêvé, on l'a publiée, on l'a jouée dans les théâtres d'été. Je suis devenu une sorte d'icône de la littérature bonbon, de la littérature qui fait pleurer et qui cultive ce sentiment amoureux auquel je suis le dernier à croire.

Sur le coup, je m'en fichais, comme n'importe quel homme qui fait face tout à coup à un succès inespéré. J'ai toujours vu l'amour comme une chose éminemment fictive, c'est-à-dire comme un pur produit de la fiction, une sorte de mimétisme renversé. J'ai toujours cru que tout le monde pensait comme moi.

Pas tout le monde, pas Ariane. Elle n'y a jamais pensé. Pour elle, je n'étais qu'un paranoïaque, somme toute sympathique, mais qui voyait tout en noir et blanc. Je suppose qu'il y a une part de vérité là-dedans. Comme je n'ai jamais contredit personne, je ne la contredisais pas.

V

En me rendant à l'église où se tenait le service funéraire, je n'ai reçu aucun piano sur la tête, je ne me suis pas fait poignarder par une dame aux cheveux blancs qui craignait pour ses sacs d'épicerie. J'ai titubé, mains dans les poches, très vite, comme pour ne pas manquer le train. J'avais l'esprit occupé par son visage, en pleine suffocation.

On pouvait voir quantité de gens rassemblés là pour pleurer cette jeune femme stoppée dans son ascension, si *ascension* est le terme approprié pour parler d'une personne qui semblait surélevée partout où elle allait. L'aura de la beauté physique est quelque chose de si puissant, de si viscéral, qu'on s'en éloigne la plupart du temps, on s'en sauve comme si c'était la lèpre. Non, pas vraiment en fait, puisque la lèpre est contagieuse et qu'une personne belle ne rend pas nécessairement beaux ceux qui la fréquentent. La beauté, vous la gardez pour vous, et de fait elle vous emprisonne. Dans le cas d'Ariane, elle finit par vous tuer.

C'est à la lueur de cette réflexion que je me suis penché sur son cercueil et que je me suis aperçu que je l'aimais. J'ai eu un haut-le-cœur. Je suis devenu livide, me suis retourné pour voir les gens en méditation, j'ai dit (les premières rangées ont dû m'entendre) : «Quelles sont les probabilités qu'un homme qui ne croit en rien, surtout pas en l'amour… J'aurais dû m'en douter.»

Me précipitant vers l'extérieur, je ne me suis enfargé dans aucun des bancs de bois qui prenaient toute la place, je ne me suis pas fait transpercer par un crucifix tellement vieux et détérioré qu'il menaçait de lâcher à tout moment. J'ai débouché sur la rue, intact, en proie à une agitation puérile.

Je me suis regardé de haut en train de courir à travers une église, je me suis observé en train de me faire dicter mes faits et gestes par un romantisme haletant, je me suis analysé en train de me dévorer les tripes pour une morte et, peu à peu, mon univers s'est replacé. J'ai senti la réalité reprendre le dessus. J'ai soupiré. Même ri un peu, pas beaucoup. De moi, de mon stupide désarroi, de ma réaction d'écolier puceau. J'ai secoué la tête, en descendant lentement, nonchalamment, les marches de l'église. Je n'irai pas jusqu'à prétendre avoir sifflé. Je me sentais avenant. Ça ne pouvait pas durer. J'ai souri à un piéton, qui ne m'a pas répondu, parce qu'il s'est enfargé et il est tombé dans une vitrine, la fracassant. Tout de suite après, j'ai entendu un bruit intense, comme une sirène se rapprochant, enveloppant tout. J'ai identifié clairement des flammes perçant entre deux vieilles bâtisses, en sentant se refermer une valve dans mon mécanisme interne. Au loin, les grues déconstruisant infiniment l'échangeur se sont effondrées dans un fracas métallique grandiose. Je n'ai pas osé regarder autour, sachant trop bien à quoi m'en tenir. Le vacarme assourdissant s'est intensifié. Que dire de plus : j'ai incliné la tête et j'ai fixé mes chaussures.

L'exilée

PORTRAIT VII

C E N'EST PAS TANT une question de résistance qu'une question de résilience. Elle tend l'index déjà plié vers l'anse de sa tasse, un livre appuyé, déposé, ouvert, à l'envers, sur son enfant, dans son ventre.

Le ciel est gris, mais elle pense à toute la négativité d'une phrase comme celle-là, cette association automatique d'idées et de couleurs, qui fait ajouter une conjonction plutôt qu'une autre. Elle est si nord-américaine, si soucieuse du bleu, d'un bleu acier incommensurable. Ses jambes sont croisées sous la table et elle fait craquer sa cheville gauche, tandis que la gorgée d'expresso lui coule dans la gorge.

Elle s'imagine en Europe, à Prague, et partout autour d'elle il y a la vieillesse du monde et le vacillement d'immeubles centenaires rosâtres et grisâtres qui en ont vu passer. Quand elle le plonge dans une rue ou une autre, son regard se perd en moins de cinquante mètres, il se cogne sur la courbe des maisons et il ploie sous quelque chose de diffus et de très instable, comme le poids de l'histoire, de l'histoire des idées, des idées plaquées sur les mots et sur les choses, et sur l'étendue d'un savoir millénaire, sur sa transmission.

Elle pense qu'elle y a accès, d'une certaine manière, en se trouvant ici et maintenant, en s'y imaginant, en s'en apercevant, en s'y attardant, en s'en délectant, d'une certaine manière, sans nécessairement tout comprendre ou du moins tout objectiver.

Les gens passent devant elle et elle remonte ses lunettes sur son nez, le livre toujours là, bien installé, bien balancé, juste sous sa poitrine. Il y a un contraste fort entre ce qu'elle sait et l'expérience qu'elle en a dans la réalité : elle est comme tout le monde. L'Europe l'entoure, dans sa tête, et lui apprend des choses, lui confirme des intuitions, la rassure sur des impressions. Elle est déjà allée plusieurs fois, elle sait à quoi s'attendre, elle sait ce que l'architecture lui fera vivre. Elle connaît cette sorte de décalage qui fait d'elle, chaque fois, une étrangère. Pas par le langage, bien qu'il soit différent, ni par les souvenirs, bien qu'ils soient personnels, mais par l'expérience du temps, un peu solennelle, un peu irréconciliable.

Cette impression de décalage, elle se la traduirait à elle-même en disant quelque chose de flou comme *expérience solennelle du temps,* mais c'est un concept qui fait d'elle une lectrice avant tout, et elle se sent différente aujourd'hui. Et hier aussi. Elle prend une autre gorgée de son décaféiné et observe les gens tournoyer, en pensant qu'elle ne profite pas d'un moment, de tous ces gens qui dansent, non. Elle est en train de le vivre, lui, et l'autre juste après. Surtout quand elle aperçoit Will surgir, se dessiner, apparaître au détour d'une rue tortueuse, qui revient du Mánesova ou du Riegrovy ou d'un côté ou de l'autre de la Vltava.

Elle le voit s'avancer lentement vers elle, au milieu d'une foule, et le sentiment est étrange de se dire non pas *moi, je connais cet homme,* mais plutôt *vous, vous ne le connaissez pas.*

Le livre jaune est toujours à plat sur son ventre rond. Elle a une courte vision de Will, s'approchant de plus en plus, avec un chien dans les bras, avec un immense chien suisse dans les bras, et les Alpes au loin, et tout autour d'elle, l'environnant, sous un ciel gris infini. Il a ce sourire sur les lèvres, qui fait partie de la vision, et qui n'en fait pas partie en même temps, jeune et beau comme leur vie, leur enfant, comme l'autre côté de l'Atlantique.

Moonwalk
ANECDOTE VI

MAIS MALGRÉ TOUT, la chose la plus étrange qui me soit arrivée, c'est quand j'ai vu Michael Jackson se promener sur la rue De Courcelle, pendant que j'espionnais la façade de l'appartement d'une jolie fille sur Google Street View. J'étais devant l'écran de mon portable, comme d'habitude, comme tous les jours on aurait dit, ces derniers temps, et j'avais mal au bout des doigts. Mon annulaire, surtout, du côté gauche, et mon index, qui me servaient beaucoup, pour écrire les majuscules et appuyer sur SHIFT. C'était une période difficile dans ma carrière, j'étais en plein processus de renouvellement, de réorientation. Mes dernières critiques avaient été désastreuses et je ne pouvais pas me permettre de me planter. Mais il y avait cette fille qui était entrée dans ma vie et je me sentais vulnérable, accroché à cette branche d'arbre au bord du ravin, du canyon, qui sauve l'aventurier d'une chute

mortelle. J'appréciais chaque moment volé à son intimité lointaine, et dans ma tête j'échafaudais des scéna-
rios absurdes de châteaux, de princes et de grenouilles
lavées par une eau fraîche. À côté de moi, il y avait ce
cendrier dégueulasse que je ne vidais même plus, par
mépris de moi-même, pour me confronter et éviter
de me confronter en même temps. J'étais une loque,
sauf que je me trouvais brillant, brillant en général, et
je continuais à écrire, je persistais. Je venais de raccro-
cher au nez de mon éditeur, qui me faisait des pres-
sions énormes, qui me parlait en chiffres, en tableaux
et en graphiques de performances. Il me rappelait sans
cesse que ma courbe était descendante, que mon indice
Amazon dégringolait. Je venais de lui claquer la ligne
au nez et j'essayais de ne pas m'emporter, de ne pas tout
abandonner sur un coup de tête pour m'enfuir avec
elle, pour recommencer au Népal, ou pour ouvrir un
snack-bar en région. Il y avait cette commande, encore
une fois, que j'avais acceptée sans trop réfléchir, en
me disant inconsciemment qu'il n'y avait rien à mon
épreuve. Une commande particulière qui en un sens
me stimulait, certes, mais me tuait à petit feu. Une commande purement mercantile et vaguement intrigante,
un livre spécialisé en anthropomorphisme, qui aurait
expliqué pourquoi les animaux élevés dans des milieux
francophones sont beaucoup plus intelligents que leurs
contreparties anglophones. Je n'arrivais pas à avancer,
j'étais bloqué sur la question essentielle des frontières
topographiques et des comportements sociaux des rott-
weilers à Westmount. Aucune de mes observations sur

le terrain n'avait été concluante et, en plus, je venais de rencontrer cette fille. Tout ça, ça me replongeait dans une époque lointaine, qui m'avait marqué, mais que j'avais un peu sublimée, quand Kasuyo, Miko et moi, on se plantait au beau milieu du carrefour le plus achalandé de la ville et, tout en faisant semblant de nourrir les oiseaux, on faisait des jambettes aux aristocrates en veston qui revenaient du travail. La lumière passait au vert, je lançais mes miettes de pain par terre et j'allongeais subtilement la jambe. Il y avait tellement de monde qui traversait la rue, même dans ce temps-là, qu'on était sûrs d'en faire tomber au moins quelques-uns. Miko aimait particulièrement faire des jambettes aux filles, c'était évident pourquoi. Ça me remontait comme par en dedans, par mon estomac, dans lequel j'avais presque juste de la fumée de cigarette, non seulement aspirée mais avalée. Le souvenir était flou et extrêmement vif à la fois, il me frappait dans le visage et j'ai voulu l'écarter en faisant une chose inusitée. J'ai ouvert Google Maps et j'ai tranquillement dirigé mon curseur vers le Québec, vers l'île de Montréal, vers le tunnel Saint-Rémi, et je vérifiais des adresses de restos et de bars, pour me donner l'impression d'être en fait à la recherche d'une bonne bouffe, d'un bon apportez-votre-vin. C'était seulement ça, je voulais simplement passer devant chez elle, en cherchant un bon resto. Mais arrivé en face de son adresse, j'ai zoomé sur la personne. C'était un homme, juste là, en face. C'était Michael Jackson qui faisait un geste avec sa main, avec son gant blanc, dans son manteau rouge et noir, en cuir. C'était le Michael

Jackson du temps de *Bad,* et c'était impossible de ne pas le reconnaître, de douter, c'était impossible, et je suis resté bouche bée, comme incapable de quoi que ce soit. Je n'ai même pas fait peur à ma chatte en sursautant, tellement j'étais figé en bloc. Quelques particules de poussière volatiles sont allées rejoindre les autres, agglutinées par milliers sur mon écran.

Seau quantique

ERRANCE V

JUSTE UNE FOIS, mais c'était assez. Je vais m'en rappeler toute ma vie. Tu t'en rappellerais toi aussi, si tu avais été là. C'était à Rosemont, il me semble. Oui, j'ai dévalé l'escalier, parce que j'entendais le ronronnement du train qui s'approchait dans le tunnel. J'avais bien calculé ma course et j'étais de bonne humeur tout à coup.

Parfois, manquer un métro, ça me vire à l'envers. Je ne sais pas pourquoi. Parfois, un peu pour rien, un peu pour plein de choses, ça m'apparaît comme une petite fin du monde.

Mais cette fois-là, j'ai sauté en bas des dernières marches, j'ai contourné les colonnes et les gens qui sortaient, avec aplomb et agilité. Je me suis glissé de côté dans le wagon alors que les portes se fermaient, à la dernière seconde, le ventre rentré et les bras le long du corps. J'ai à peine eu le temps de tirer vers moi mon sac, avant la morsure des portes. J'ai poussé un soupir de satisfaction et tout de suite après, nécessairement, j'ai inspiré.

Et c'est là que l'odeur m'a frappé.

C'était comme une attaque terroriste. C'était comme une odeur qui te faisait te dire je comprends pour la première fois ce que c'est, l'odorat. Je me suis aperçu que tous les gens autour de moi étaient collés les uns sur les autres de façon anormale, groupés autour du poteau argenté et tentant de se repousser dans un coin, dans un mouvement collectif étrangement coordonné. L'odeur était forte à un point tel que tu avais presque le goût de l'expérimenter, de tester ton nez, par dégoût ou par défi. Les yeux des passagers étaient tous dirigés dans la même direction, et j'ai suivi le mouvement. On entendait parfois un Oh! d'impatience ou un My God! plaintif.

J'ai remarqué que même les gens qui se trouvaient dans le wagon derrière le nôtre regardaient par là, comme s'ils savaient ce qui se passait ici, cette odeur sucrée, puissante, piquante, tout à la fois. Ce n'était pas seulement une odeur, c'était un événement.

À l'autre extrémité du wagon, seul évidemment, entouré du vide laissé par tous les autres passagers, un homme noir, assis, voûté, immobile, tenait entre ses mains un seau de plastique blanc. J'ai compris que l'odeur provenait de ce seau quand j'ai vu les insectes le survoler : de minuscules mouches qui tournaient autour de l'homme, des mouches à fruits probablement, des drosophiles. J'ai cru apercevoir, de loin, un emballage de McDonald's, un carton de frites, ou quelque chose comme ça. L'odeur était tellement forte que tu pouvais percevoir des tissus microscopiques se déchirer et fondre à l'intérieur de ton nez.

Je n'avais jamais rien vu de tel. Certaines personnes riaient de désespoir autour de moi. J'avais rejoint le groupe et j'étais collé sur une fille vraiment jolie, mais ça puait tellement que je m'en fichais qu'elle soit jolie, je ne regardais même pas ses seins, ni son visage. Ça puait tellement que je n'ai même pas essayé de profiter de la situation pour lui faire une blague douteuse, ou un sourire.

Ça a duré seulement une ou deux minutes, le temps d'arriver à Laurier. Les portes se sont ouvertes et tout le monde est descendu, se poussant les uns les autres. On s'est tous agglutinés dans le wagon suivant, qui commençait à être rempli de façon invraisemblable. On s'est tous mis à regarder, à travers les vitres, à travers la protection que nous offraient ces vitres, cet homme complètement seul, entouré de petites mouches quasi invisibles qui virevoltaient. On avait l'impression que des effluves avaient pénétré nos vêtements, nos fibres. Une femme se sentait la chemise. Un homme souriait en secouant la tête et en répétant à sa blonde man, man, as-tu vu ça?

Moi, je n'avais jamais vu ça. Jamais rien vu de tel. Je continuais à fixer mon regard sur cet homme. En me demandant à quelle station il descendrait. Moi, j'allais chez toi, dans le sud, j'avais une destination. Je réfléchissais fort, en plissant les yeux. Je fixais mon regard sur l'homme et son seau, et je voyais presque cette puanteur qui ne semblait pas l'affecter. Je me disais qu'il était rendu à un stade où cette odeur ne l'affectait pas, qu'il avait atteint un stade où il pouvait mettre une main dans ce seau et en retirer de la *nourriture,* mais qu'il était tout de même dans le métro. Lui aussi allait quelque part. Comme nous tous, il allait quelque part.

Courte escapade

O N ÉTAIT SORTIS de l'île par le pont Victoria, la route avait été super belle, les douanes nous avaient pas fait chier malgré le petit stress, la musique de Sirius avait été bonne tout le long. Ça commençait plutôt bien, on s'était trouvé un stationnement juste à côté du Youth Hostel, sur la 104e, juste au coin d'Amsterdam.

À la réception, on s'est enregistrés en se faisant passer pour des cousins d'Avril Lavigne, en insistant pour le prononcer en français. Je sais pas ce qu'on espérait, mais même si ça a pas marché, y avait rien à perdre. Après on est sortis dans la rue et il faisait beau, ça se dessinait comme un début de printemps à Montréal. Tu mets ta tuque noire à cause d'un coup de vent entre deux blocs, t'enlèves ta tuque noire à cause d'un rayon de soleil généreux, tu remets ta tuque, tu renlèves ta tuque, on sait c'est quoi.

On s'est enlignés pour descendre la ville. Upper West Side, le coin de la 96ᵉ où je suis allé quelques fois avec mon ex, les petits commerces crados, les gros gars qui quêtent pour l'Armée du Salut, les filles belles, quand même. On est descendus jusqu'à la 55ᵉ à peu près, pour tourner à l'est vers Central Park, parce que Jubby avait jamais vraiment pris la peine d'y aller. Journée idéale. Ciel bleu, neige, rires d'enfants qui patinent sur l'étang où King Kong glisse avec Naomi Watts avant de se faire tirer par les hélicoptères de l'armée.

On s'est arrêtés au Apple Store, histoire de vérifier nos courriels et notre Facebook, histoire de continuer à être un peu là-bas pendant qu'on est ici, histoire de vérifier si on a pas reçu des déclarations d'amour fantômes. Magasin rempli, sneakers Nike blancs comme ta mère, tu te faufiles devant un ordi haut de gamme, tu profites d'une des dernières choses gratuites de la vie, t'oublies juste pas de te déconnecter avant de partir. J'ai demandé à Jubby s'il me trouverait vraiment cave d'acheter un paquet de cigarettes. Il m'a dit fais donc ce que tu veux.

Après on a pris Fifth Avenue pis la foule a débarqué. Des gens partout, de bonne humeur parce qu'un mime de la statue de la Liberté est immobile à côté d'un Black avec son sax, qui joue «Jingle Bells» avec quinze millions de notes de trop. T'essaies de siffler, mais t'as juste l'air d'un cave. Faque on s'est mis à éviter le monde, à marcher en crabe pis en zigzag. Jubby s'est arrêté un peu plus bas au NBA Store pendant que je fumais ma première clope depuis le hit, dehors sur le trottoir, dans le chemin de tout le monde, espérant qu'une fille foncerait dans mon Glock pour que je puisse m'excuser jusqu'à la fin du monde. Il a rien acheté, faque on est repartis vers le sud.

Il faisait pas froid, juste un peu frisquet pas désagréable, on enlevait nos gants noirs, on remettait nos gants noirs. À un coin de rue, juste un peu plus tard, on voyait sur notre gauche le sapin des films au Rockefeller Center. Jubby m'a dit que c'était un vrai. J'ai dit ah ouin. Le soleil se couchait tranquillement entre les buildings, j'avais l'impression de reconnaître plein d'affaires, des souvenirs vagues de fois précédentes qui me faisaient me dire que New York commençait à m'appartenir, que j'étais plus qu'un touriste, que je connaissais plus New York que Trois-Rivières, que c'était quand même une bonne nouvelle.

On arrivait à la fin des rues numérotées, là où la ville arrête d'être un simple quadrilatère infini, là où Manhattan commence à être vraiment belle. Jubby a sorti ses trucs imprimés sur Google pour vérifier l'adresse d'un magasin de streetwear. C'était beaucoup plus à l'est, mais on était sur la 9ᵉ, la bonne rue par hasard, alors on a tout de suite tourné. Le magasin se trouvait au coin de la 1ʳᵉ Avenue, et les adresses descendaient lentement, mais on était pas pressés. Qu'est-ce que tu veux, je me disais, deux frères, une bonne dose de testostérone et de silence, pas besoin de se dire grand-chose, pas besoin d'endurer une fille qui chiale à cause de ses talons, qu'elle a mis parce qu'elle voulait être belle.

Le magasin était fermé, la grille baissée : closed on Tuesdays and Wednesdays. On a reviré de bord en se disant une chance que je suis pas ta blonde parce que j'aurais chialé. À partir de là on s'est mis à errer un peu, une fois revenus sur Fifth. On est descendus encore, jusqu'à Canal, pour ensuite virer à l'ouest, sans rester longtemps dessus parce que les dernières rues que tu veux prendre, dans le bas de la ville, c'est les artères. On est revenus un peu plus haut jusqu'à Spring et là c'est magnifique, t'arrives en plein dans SoHo, les boutiques de mode et le monde à la mode, la couleur des vieilles briques.

Comme on était proches du deuxième arrêt Google de Jubby, on a continué vers l'ouest et les adresses montaient lentement mais peu importe, virils je te dis, silencieux. J'ai donné le sac à dos à mon frère, parce que je venais de me rendre compte que crisse, même si c'est mon sac, il peut bien le porter un peu, ce qu'il y a dedans c'est à nous deux. Le magasin existait plus, l'adresse fonctionnait, mais à la place c'était une autre compagnie de vêtements. J'ai dit à Jubby, tu veux pas aller voir pareil ? Il m'a répondu non, c'te marque-là, ça suck.

Faque on a spotté tout de suite un petit pub, le SoHo Room. On est rentrés là sans attendre de trouver le resto *idéal* comme quand t'es avec une fille. On s'est installés en soupirant d'aise. La serveuse était un peu slut à mon goût, mais Jubby m'a dit de profiter de la vue pis de fermer ma yeule. Quand les bières sont arrivées, on a tchiné à nous deux parce qu'on était vraiment plus hot que les Français juste à côté.

Faque après deux bières et une bonne bouffe, on est repartis en se disant tout à coup que les filles étaient plus belles que tout à l'heure, que la soirée s'annonçait bien malgré les légers inconvénients. Jubby checkait les petites pitounes pis moi je checkais les petites hipsters.

— Elle c'est plus ton genre.

— Ouep. Ah pis elle c'est plus ton genre à toi.

— Ouep.

La nuit était tombée depuis quelques heures. On s'était levés à cinq heures du matin, faque la bière rentrait au poste. Pas très loin du SoHo Room, il y avait le troisième spot Google de Jubby : le Nike Store. On s'est rendus jusque-là et c'était fermé, au contraire de tous les autres esties de magasins autour. Aucune explication, pas de pancarte ni rien, genre, va donc chier. Mais c'était pas grave parce qu'on était déjà dans un pattern.

On a ri de nous ou de quelque chose d'autre, en s'éloignant, mais ça faisait aucune différence parce qu'à ce moment-là, comme par hasard mais pas vraiment, on a aperçu la bouche de métro de Canal, au coin de Broadway. On était juste à côté du point de rendez-vous. Le Russe nous attendait dans son trench-coat noir. Jubby a agi comme un vrai pro. Tellement que j'ai été un peu ému. Jubby a dit dans son anglais super bon it's done et je l'ai regardé serrer la main du gars en s'avançant pour lui glisser subtilement à l'oreille le numéro de compte. L'autre a rien répondu. Moi, je m'étais contenté de hocher la tête en le voyant arriver et j'ai fait la même chose en le regardant s'éloigner. Jubby s'est retourné, il m'a souri.

J'ai eu une pensée pour quelqu'un qui serait jamais allé à New York. Au fond, tout était tellement nice, même si les portes étaient barrées. On s'en foutait, en plus le stress était tombé, on voulait juste continuer à boire.

Un peu plus haut que Houston, on a vu un monsieur sortir d'un bistro et je lui ai dit excuse me sir, can you tell me how to pronounce the name of that street over there, because my brother and I just made a bet. Il m'a répondu it's *House-ton.* J'ai dit it's not *Youusstonn*? Il m'a répondu no, it would be *Youusstonn* if we were in Texas. J'ai dit and you definitely don't wanna be in Texas. Comme tout bon New-Yorkais il a répliqué no, especially not after all those years we just passed there. On a ri tout le monde ensemble, il nous a recommandé d'aller dans ce bistro pour prendre un verre parce que la barmaid is Russian or Slovenian or Latvian or what, and she's a ballerina, and she's freakin' beautiful. Faque on est rentrés Chez Jaqueline.

Elle était pas si belle que ça, mais on a commandé deux gin tonic Tanqueray pareil, qui nous ont coûté vingt piasses, qu'on a bus vite parce que c'était plate pis la musique suckait. En sortant, on s'est dit que ça serait le fun de se trouver un comedy club et comme de fait, juste un peu plus au nord, en arrivant dans Greenwich Village, on a vu un auvent rouge qui annonçait fièrement

Comedy Club. L'affiche nous promettait un show pour neuf heures et demie, faque on est allés prendre une Corona à deux piasses dans un bar où Jubby m'a dit, en rentrant, ça c'est un bar : belles personnes, musique chill, bar de *résidants.* Ouep. À côté de nous il y avait trois filles avec un gars. On a décidé qu'il était gay, parce qu'elles étaient toutes cutes. Surtout la grande rousse qui textait avec super gros d'expertise, en sirotant sa bière.

Passé neuf heures et quart, on s'est poussés, en jouissant à l'avance d'un bon show d'humour américain, avec, comme dit Jubby, un crowd new-yorkais *vraiment mean.* La grille était encore baissée. Intrigués, on a attendu un peu. Une hôtesse du resto d'à côté est sortie pour nous offrir de voir ses spéciaux. On lui a demandé what about that comedy club over there, it's supposed to be open, no ? Elle nous a dit, compatissante, oh, sweeties, I'm sorry, the show got cancelled.

Là, tout à coup, on était déçus pour de vrai, parce qu'un show, c'est pas la même affaire qu'une boutique de linge, même si c'est du streetwear. On était un peu saouls, piteux, faque on est partis prendre le métro. À partir du moment où on a décidé de remonter la ville pour revenir à l'auberge, les talons ont commencé à me faire mal. En plus, je me traitais de cave d'avoir acheté un paquet de cigarettes.

Le trajet a été long, j'ai cédé ma place à une petite dame qui parlait français, mais qui était pas une Française, je sais pas d'où elle venait. Il faisait chaud. Jubby était plus déçu que moi parce que, fondamentalement, il est plus party animal. On est sortis du métro à la 103ᵉ, en silence. La ville était calme sauf pour une mélodie latino speedée qu'on entendait sortir par la fenêtre d'un appart dégueu et plein de kétaineries mexicaines avec des paillettes.

On a voulu aller vérifier qu'on s'était pas fait remorquer, on sait jamais, les signes de parking sont compliqués. J'ai aperçu la voiture au coin de la rue et j'ai été rassuré, mais Jubby a spotté le ticket de parking bien avant moi. Glissé dans la fente de la porte : cent quinze piasses à cause de la borne-fontaine, quasiment quatre pieds derrière nous. Faque après avoir pris le risque de se faire attraper à conduire en état d'ébriété pour trouver rapidement un stationnement intérieur, on est allés se coucher dans un dortoir qui puait pas trop, même si c'était une gang de gars qui s'endormaient en se racontant chacun pour soi des histoires de cul. Sauf celui dans le fond, avec sa machine à oxygène ploguée dans la face.

— Kessé ça, que j'ai demandé à Jubby.

— C'est pour pas ronfler, qu'il m'a répondu.

Il connaissait ça, lui.

J'ai essayé de pas freaker avec les punaises de lit. J'étais assez fatigué. J'ai mis mon paquet de cigarettes sous l'oreiller, mais je le sentais pareil. On avait fait ce qu'on avait à faire. Il était minuit, le lendemain on retournait à Montréal.

Le correcteur

IL A DÉPOSÉ la copie du millième étudiant en soupirant sur la phrase involontairement alambiquée. Ses yeux rouges se sont perdus dans le texte, quelque part entre une double incise qui ressemblait à un serpent mythologique se mordant la queue et une subordonnée relative incestueuse. Il a repoussé les feuilles en tirant sur sa cigarette.

Il a voulu se prendre une bière mais, en se dirigeant vers le frigo, l'horloge lui a sauté dans le visage, pour lui rappeler qu'il lui restait plusieurs cadeaux à acheter avant le réveillon merdique de demain soir.

Le temps d'enfiler son vieux manteau d'hiver, qu'il détestait encore plus depuis qu'il s'était fait voler l'autre dans un bar de karaoké dégueu, le temps d'écrire sur Internet à quel point il détestait quelque chose que tout le reste du monde adorait, il était dans le métro et pensait à la connerie humaine.

Il pensait à la connerie de cet humain devant lui en particulier, qui devenait un archétype, qui devenait une typologie en soi, qui portait des souliers de toile en plein hiver, et des skinny jeans, et une moustache molle. Il le détestait comme on déteste un goût depuis l'enfance, à un point tel qu'il fait partie de notre personnalité. Il l'a suivi sans le vouloir, parce qu'il descendait à la même station.

En pensant à Terry Bradshaw, et à Joe Montana, et à fucking Brett Favre, et à Tom Brady, et à Peyton Manning, et à Eli Manning, il a joué des coudes en s'enfonçant dans le Centre Eaton. Ses mains avaient le goût de lancer des ballons dans des visages fardés et, avec ses lèvres, il comptait les Mississippi entre deux imbéciles.

Il est entré dans un magasin, puis dans un autre, puis il est entré dans un autre magasin et il était exaspéré. John Lennon chantait « War Is Over », mais lui se disait tellement pas. Il se disait tellement pas, espèce de cave, et toutes les guirlandes le faisaient vomir, presque vomir pour vrai.

Il est entré dans une boutique et la vendeuse le regardait de derrière son comptoir. Elle lui faisait penser à une espèce de Lady Gaga platine moche. Il tâtait son paquet de cigarettes et ça le faisait chier que la fille le voie avec son vieux manteau d'hiver laid, sans col de fourrure ni aucun lustre. Il s'est dit je vais revenir plus tard, tu perds rien pour attendre, et sans avoir rien acheté il a pris l'escalier roulant vers la rue Sainte-Catherine et il a marché vers les cinémas.

Il éclatait des bulles de BD remplies de signes de ponctuation vulgaires à mesure qu'elles lui apparaissaient au-dessus de la tête.

En pensant à cette merde de Ronaldinho, et à Pelé, et à Maradona, et à Zizou, et à l'autre fendant de Beckham, il a contourné des cons et il a dépassé une vieille madame vraiment courbée, aussi laide qu'un tétanos, qui lui a rappelé un mélange de Condoleezza Rice et de Béatrice Picard.

Ses pieds ont eu le goût de se retourner vers elle et avec ses lèvres il murmurait git a fucken loïfe, avec l'accent écossais d'un personnage d'Irvine Welsh.

Encore des conneries humaines ambulantes à endurer dans la file du cinéma, et il a acheté un billet en gardant ses yeux dans les yeux de Natalie Portman, toute blanche sur l'affiche immense, en surplomb. Il a eu envie de dire merci, mais l'employée parlait juste anglais et ça l'enrageait solide. Solide.

Après avoir pompé une cigarette sur le bord de la rue, il a grimpé les escaliers roulants, deux étages au-dessus de la ville, des trottoirs sales, des guirlandes et des sapins. Il s'est engouffré dans la salle obscure et, en attendant qu'une Natalie Portman anorexique et ennuyante se décompose lentement sur du Tchaïkovski remixé par des incompétents, il a sorti de son sac à dos une copie d'étudiant, histoire de maximiser l'ennui.

Chambre 108

L A PREMIÈRE FOIS, je me suis même pas rendu jusqu'au coin de la rue, de l'autre côté du parking, qu'ils étaient sur moi, le gros Robert avec l'autre que son nom m'échappe. Son nom que je m'en rappelle jamais. Il donne juste l'impression d'être sympathique, c'est les plus dangereux. Il m'a quasiment fait une clé de bras ou je sais pas comment, comme si j'avais eu vingt ans pis que je risquais pas de me casser en deux. Robert lui a dit ciboire relax. Ils m'ont ramené tout de suite, dans leurs bras, avec la marchette. Robert tenait ma marchette dans les airs. J'ai craché à terre juste à côté de la convertible de la fille à madame Sicotte, comme si j'avais eu vingt ans. Ça a même pas paru à cause de la slotche brune.

— Non, écoute, lâche, laisse-moi juste finir pis on va jouer après.

— Donne.

— T'as pas besoin de les compter. Ils les vérifient toujours. Ils vérifient tout.

— Des fois que le joker manque.

— Ça se peut pas. Ils sont toujours en train de vérifier tout ce que tu touches, tout ce qu'on touche. À chaque fois que tu laisses traîner une paire de caleçons avec une trace de break, tu peux être sûr qu'ils vont venir la sniffer.

— C'est pas une raison pour me l'enlever des mains.

— OK. Tiens. Mais si tu comptes, non seulement tu vas confirmer ce que je te dis, mais en plus tu vas rentrer dans leur jeu. Parce que c'est ça –

— Mélange-moi pas.

— Parce que c'est ça qu'ils veulent, ils veulent –

— 15, 16, hmm mm.

— Ils veulent, comment il s'appelle déjà, lui?

— 22. Mélange-moi pas.

— T'as-tu vu la manière qu'il m'a souri? T'as-tu vu? Je le truste pas une miette. C'est les pires, ceux-là. C'est ceux-là qui te font une passe pendant que tu regardes pas.

— Tu me mélanges. 43, 44.

— 78, 123, 8, 11 003.

— 46, 40, ahhh. Eille, t'es vraiment pas un cadeau, Emmanuel Létourneau.

— Ben, ça va t'apprendre la vie, mon petit vieux. Tu sauras que c'est pas toujours facile. Tu vas pas toujours l'avoir toute crue dans le bec.

La deuxième fois, je vais te la raconter en détail, pour que t'apprennes quoi pas faire. Pour que tu fasses pas comme moi. J'avais prévu mon affaire, mais tout croche, mes préparations étaient comme un après-midi avec la mère Beaulieu : une attaque d'Alzheimer qui te fait tout oublier juste au moment où tu t'en allais dire quelque chose d'important par rapport à ta famille, ou quoi, par rapport à tes enfants pis tes petits-enfants.

Faque j'avais tout prévu, mais j'étais trop excité, faque j'ai tout fait tout croche. J'ai oublié de jeter le post-it où j'avais écrit l'adresse du motel où que je m'en allais. J'ai laissé traîner le post-it sur le comptoir. En plus, ils sont arrivés dans ma chambre vraiment vite parce que, imbécile, j'avais laissé un rond allumé. Ils ont des capteurs ou des senseurs, ou quelque chose de ben plus technologique que toi en tout cas. Faqu'ils se sont pointés dans ma chambre presque même pas une demi-heure après que je me sois poussé.

Moi, je pensais les avoir semés, je pensais que je m'en étais débarrassé, mais non, qu'est-ce tu penses, c'est pas mal plus difficile que ce que tu penses. Tu penses que tu les as dans ta poche, mais dès que tu te retournes ils sont juste là, derrière, ils te suivent comme si t'étais un animal dangereux, un lion, comme s'ils seraient mieux de t'endormir avec du miel ou quoi, une piqûre de miel dans les fesses. Robert qui veut te faire une piqûre, avec l'autre débile qui a l'air d'un immigrant illégal, qui veut te faire une jambette en souriant. Checke-le, il est pas trustable, je te dis.

Je me suis rendu quasiment au terminus de taxis, j'étais sur le point de m'en câller un avec la main levée quand ils m'ont pogné. Tu vas me dire que je suis pas allé ben loin mais, je veux dire, tu vas me dire que je suis pas allé ben loin, mais ça c'était juste la deuxième fois. Cette fois-là, quand j'ai senti la main de Robert sur mon épaule, j'ai eu le goût de cracher à terre. Je crache jamais, j'ai pas craché depuis au moins vingt ans, je sais vivre, mais je te le dis comme je te regarde, j'avais le goût de cracher à terre. Ou de lui cracher dans face.

— Ta yeule, ils se ramènent.

— Pis ?

— Comment ça, pis ? Tu veux te faire pogner les mains dans les culottes ?

— De quoi tu parles, les mains dans les. J'ai pas les mains dans –

— Façon de parler, Gérard. Façon de parler, façon de te dire de te la fermer avant qu'on se fasse pogner en train –

— En train de quoi ?

— De parler d'eux.

— Qu'est-ce que ça fait qu'on parle d'eux?

— T'es vraiment un innocent, Gérard Tremblant.

— J'haïs ça quand tu fais rimer mon nom.

— Peux pas m'en empêcher, t'es trop innocent.

— Ouin, c'est ça.

— Faut qu'on te brasse, tu rentres dans leur jeu comme si c'était ta mère qui t'appelait pour souper, comme dans le temps, entre deux parties de billes.

— De quoi tu parles, ma mère qui m'appelait?

— Façon de parler. Avoue que tu t'ennuies de ça.

— De quoi, Emmanuel?

— De ta mère qui te crie par la fenêtre «Enweille Ti-Gégé», elle t'appelait-tu comme ça? «Enweille, Titi-Gégé, rentre à maison, ça va être frette.»

— Manivelle. Flanelle. Cannelle. Grosse pelle pas belle.

— Qu'est-ce tu racontes?

— Je fais rimer ton nom. Moi avec je suis capable.

— Hum.

La troisième fois, regarde-moi ben aller. Regarde-moi ben: la troisième fois, j'avais décidé que c'était la bonne. Tu sais c'est quoi une diversion, t'as pas oublié c'est quoi qu'ils veulent dire les mots. J'avais décidé de faire une diversion. D'en créer une, ouin. Je me suis dit si Robert se ramène dans ma chambre, il faut qu'il pense que je suis encore là, ou ben que je suis sorti par une porte secrète, une sortie que juste moi je connais. Soit que je me suis caché quelque part dans la chambre, soit que j'ai crissé le camp par une trappe.

Une trappe, c'était l'idée du siècle, faque ça m'a pris deux jours pour scier tranquillement les tuiles de céramique dans ma cuisinette, en forme de trappe, en forme de rectangle, ouin. Là, quand ça a été prêt, j'ai soulevé un petit peu, j'ai placé un stylo en dessous pour donner l'impression que c'était l'entrée d'un trou, l'entrée à peine entrouverte, tu vois, d'un tunnel vers San Francisco, vers la Chine, je sais pas.

J'ai pris ma marchette, j'ai regardé ma trappe avec comme une nostalgie que, je sais que c'est pas le mot correct, mais c'est le mot qui me vient, quand j'essaye de te le raconter comme il faut. Des fois, si tu veux raconter comme il faut, tu peux pas utiliser les mots corrects, parce que ces mots-là veulent pas dire ce que tu veux dire. Mais on s'en sacre, c'est pas de ça que je voulais te parler.

Faque oué, j'ai pris ma marchette, ben décidé que c'était la bonne fois, cette fois-là. J'ai fermé la porte derrière moi, j'ai pris l'ascenseur, comme tous les jours ordinaires que tu peux pas t'imaginer comment je suis tanné d'être ici. J'ai pris l'ascenseur pour le rez-de-chaussée pis, pour la troisième fois, j'ai attendu que Josée soit ben occupée dans un papier de la mort de quelqu'un, ou un rapport d'ambulance ou de quoi de même, pour me faufiler à travers le lobby, en gardant ma marchette dans les airs pour pas que le petit bruit de roulettes fasse relever la tête à Josée.

J'ai poussé la porte, je sentais la liberté, tu peux rire mais c'est vrai. Cette fois-là, j'avais vraiment l'impression d'avoir fourré Robert avec mon strata... – avec ma trappe dans ma chambre, ouin. En poussant cette porte-là, tu sens tout de suite la petite brise, à cause du canal pas loin, où qu'on se baignait quand j'étais petit. Eille. On sautait du pont direct dans le canal, dans ce temps-là. Les ouvriers nous watchaient. Tu sens le petit vent de la liberté, faque tu te dépêches à sortir pour plus jamais revenir, fie-toi sur moi.

Ma marchette s'est quasiment pognée dans la porte en train de se refermer, mais j'ai tiré dessus juste à temps. J'ai juste regardé en avant, à partir de là. Juste en avant, la marchette sur l'asphalte, l'odeur des exhausts dans le parking, l'arrêt d'autobus avec les grosses petites madames, avec des jeunes aussi. Des jeunes. J'ai été super chanceux, parce qu'en arrivant à la hauteur de la rue, il y avait un taxi qui passait, qui m'a ramassé tout de suite. Eille. Eille. Je peux-tu te dire que j'étais quasiment en crise euphoristique quand je suis rentré dans ce taxi-là ? Tu peux pas comprendre, tu peux pas comprendre le feeling que ça m'a fait d'entendre le gars me dire on s'en va où, pops ?

Il m'a dit ça tout simplement, naturel, normal, tu peux pas comprendre. J'ai pas regardé en arrière, j'étais dans le taxi, avec un gars vraiment foncé, qui avait un accent de je sais pas d'où il venait, mais c'était certainement pas un parent à toi. J'étais tellement content que j'ai bloqué. Il y avait l'odeur d'un shish taouk dans son taxi, qui me rendait tellement content que j'ai bloqué. Je

savais pas quoi dire tellement. Tellement j'étais euphoristique. J'avais peur pour mon cœur quand tout à coup,
ben oui, c'était trop beau, tout à coup je l'ai vu, mon
chauffeur, se pencher vers sa fenêtre de passager, comme
s'il venait de remarquer que quelqu'un dehors lui faisait des signes. Ben oui. Robert, tabar. Robert encore,
avec sa maudite queue de cheval que j'ai jamais pu
sentir en peinture. Pis sa blouse blanche d'infirmier
qui lui donne l'air d'une tapette que, j'ai rien contre
eux, mais qu'est-ce que tu veux, les habits de même sur
un homme, c'est moumoune. Ça m'a toujours fait cette
impression-là.

Faque Robert, avec sa petite blouse pas de boutons,
qui se penche dans la fenêtre du taxi, de *mon* taxi, de
mon super taxi qui sent le shish taouk, avec *mon* chauffeur foncé. Pis qui tu penses qui m'ouvre la porte d'en
arrière, comme trop fort pour rien? Lui, l'autre, le
petit baquet que je truste pas, que s'il y en a un qui
me donne le goût de me pousser, c'est ben lui. Il me
sourit, un loup je te dis, un hyène. Une hyène? Je sais
pas, je sais plus.

En tout cas, tu vois le genre, c'est à peine s'il m'a pas
garroché sur le trottoir en tirant sur ma manche de chemise. Robert lui a dit de se calmer les nerfs, en criant.
Moi, je lui ai craché dans face, en riant.

— Tu peux pas le bouger de même.
— Je le bouge comme je veux.
— Non, c'est un cavalier, il bouge en L. Tu le sais.

— Je sais rien pantoute.

— Emmanuel, ramène-le à la case du début.

— Je joue de même, moi.

— Mais si tu joues de même, je peux pas jouer avec toi.

— T'es comme tous les autres.

— Pourquoi tu dis –

— T'es juste comme eux, avec leurs règles, leurs règlements pis leurs ordinateurs.

— C'est pas moi qui a inventé les échecs.

— Ben justement.

— Qu'est-ce que t'as inventé, toi, Létourneau ? T'as rien inventé, à ce que je sache.

— J'ai peut-être rien inventé, mais je me suis jamais laissé avoir, par exemple. Je me suis jamais laissé avoir.

— En attendant remets ton maudit cava –

— Touche pas à ça, Antoine. On va laisser le cavalier là. On va jaser toi pis moi.

— De quoi on va jaser ? De quoi tu parles ?

— On va se dire les vraies affaires. T'es encore là, je suis encore là, aussi ben en profiter.

— Je comprends rien de ce que tu dis.

— Quoi ? Ah ben, celle-là, c'est la meilleure. Je te parle dans quelle langue ? Je te parle pas en français ? Je te parle dans quelle langue ?

— Non, c'est juste que –

— Je te parle dans quelle langue ?

— Tu dis des niaiseries.

— Dans quelle langue ?

— Dans quoi?

— Dans quelle langue je les dis, les niaiseries?

— Dans quelle langue?

— Je les dis dans quelle langue, les niaiseries que je te dis?

— Pfooo… En français.

— Que je te vois soupirer, Antoine Morin. Je les dis en français, mes niaiseries?

— Oui. Tu les dis en français.

— Bon.

— Bon quoi?

— Bon ben fais-moi pas accroire que tu comprends pas. J'en ai vu d'autres.

— D'autres quoi? De quoi tu parles?

— Maudit que t'es innocent.

— Maudit que toi t'es désagréable. On peut-tu recommencer une partie, d'abord?

— Tu comprends rien, hein?

— De quoi?

— Tu comprends rien de ce que ça représente, cette partie-là. De ce que ça dit sur moi pis de ce que ça dit sur toi.

— Tu m'épuises.

— Ta yeule, v'là l'autre qui se ramène. Chut! Fais comme si de rien n'était. Joue. C'est à toi. Joue.

La dernière fois, j'ai crissé le camp pour de bon, sans me retourner, pendant la nuit. Je comprends pas pourquoi j'y avais pas pensé avant, je me disais qu'il fallait que je sois plus finfinaud qu'eux autres. J'avais jamais pensé à partir la nuit, parce que je me disais qu'il fallait que je déjoue leur jeu. Qu'en plein jour ils seraient déstabilisés. Comme déstabilisés. Quand tu fais les choses au grand jour, fie-toi sur moi, ça marche plus souvent qu'autrement. En plus, me faufiler dans un coin, ça a jamais été mon genre.

Mais cette fois-là, j'avais plus rien à perdre, même pas mon honneur. Même pas rien d'autre. J'ai plus rien à perdre. J'ai rien à envier, j'ai rien à perdre, j'ai juste envie de pas être là-bas, j'ai envie de pas être là-bas, juste envie de ça.

Je me suis levé en plein milieu de la nuit, pas préparé, pas préparé pantoute : une imp – une implus –. Une impulsion. D'un coup, assis dans mon lit frette, en grosses gouttes de sueur. Mes médicaments sur la table en plastique à côté. J'ai donné une claque sur le, comment ça s'appelle ? J'ai pas le goût de me rappeler de ces mots-là, le distributeur à pilules, il y a un mot, qu'ils nous l'apprennent quand ils décident qu'à partir de maintenant c'est le genre de mot qu'il faut se souvenir. Mais j'ai pas envie de me rappeler de comment ça s'appelle. Pis c'est pas parce que j'oublie des affaires, je me rappelle de tout, des affaires que j'ai envie de me rappeler, je me rappelle de comment ça s'appelle une belle fille, de comment ça s'appelle un paquet de gomme, une tondeuse, plein d'affaires que j'ai le goût de nommer, mais le truc que tu mets tes pilules dedans, qui est divisé en lundi, mardi, mercredi, je sais pas comment on appelle ça. En plus, je suis fier de pas le savoir, faque j'ai donné une claque dessus.

Je me suis levé, c'était maintenant ou jamais. À côté du lit, il y avait mes pantoufles laides, avec le logo de la résidence. Juste à côté il y avait mes souliers. Ben tu sais quoi ? J'ai mis mes souliers : je m'en allais pas pisser, je m'en allais. J'avais pas besoin de pantoufles. J'avais besoin de mes souliers, de lacer mes souliers en me penchant, de faire des boucles que je suis tellement encore capable de faire ça, Robert dira ce qu'il voudra. Je me suis penché pis j'ai attaché mes souliers sans chialer, sans craquer comme un vieux débarras. Mes mains tremblaient même pas, ça fait longtemps que mes mains ont arrêté de trembler, les mains qui tremblent c'est pour les faibles qui arrivent ici en étant pas prêts à combattre, qui arrivent ici juste pour s'étendre, juste pour crever. Qui c'est qui veut crever ? Crever ici ? Je veux dire, qui c'est qui veut se laisser abattre par des maudits malades comme lui, avec son sourire de vampire, avec ses petites paroles hypnotisantes ?

Je me suis mis debout sans m'aider, la marchette est restée dans le coin. J'ai traversé la chambre en faisant vraiment pas beaucoup de bruit. Vraiment pas. Dans le corridor, il y avait pas personne, tout le monde dormait dans la place, sur mon étage comme sur les autres. J'entendais aucunement de son de trousseaux de clé, ou de flashlight qui te surveille juste pour te ramener dans ta chambre avec des réprimandes de garderie. J'ai marché vite vers les ascenseurs, mon cœur au même rythme, comme si je le suivais au lieu du contraire.

Rendu dans le lobby, j'ai fait le tour avec mes yeux : il y avait pas un chat, demande-moi pas où était Robert, ou l'autre fendant, parce que je vais te répondre que je le sais pas pantoute, mais la place était vide, même la réceptionniste était ailleurs, demande-moi pas où. J'ai skippé les adieux parce que j'étais même pas ému. Je me sentais comme dans les vieux traîneaux, les vieilles luges qu'on descendait avec ça le mont Royal, tu t'en souviens ? Les vieilles luges solides, c'était pas fait en plastique dans ce temps-là.

Mes jambes étaient comme des élastiques huilés. En traversant le lobby, je me suis pas ému pour deux cennes. Quand je suis arrivé à la porte, j'ai vu mon reflet. Il m'a répondu quelque chose de tellement positif que j'ai souri. Sans mes dents, j'ai un sourire qui te fait sourire. Pas un regard en arrière, décidé, complètement sûr de moi. Dès que je suis sorti dans l'air frette, j'ai commencé à marcher vers la station de taxis. Je voulais me payer un taxi avec les beaux billets de vingt piasses que j'avais dans mes poches. Des billets neufs que j'avais jamais utilisés.

Le gars foncé comme du charbon de bois m'a fait un sourire, comme s'il était un film en noir et blanc. J'ai embarqué dans son taxi en claquant la porte ben fort, pour lui montrer que j'étais encore un citoyen qui fait des allers-retours dans sa ville natale, dans la grande ville, d'en haut jusqu'en bas, de Pointe-aux-Trembles jusqu'à Dollard-des-Ormeaux. On est partis sur les caps de roues, ça a fait du bruit que le yable.

Il m'a demandé où que j'allais comme ça, avec son accent qui me donnait l'impression d'être dans une capsule de l'espace, avec des tests d'odeur de la Terre pour les extraterrestres. Vous voulez savoir comment ça sent chez nous, ben v'là un échantillon. J'ai dit roule, mon ami, roule. Il me souriait dans le miroir, son miroir, notre miroir. Ses yeux étaient encore plus bruns que sa face. L'intérieur de ses mains sur le volant était tellement rose que ça me faisait l'impression d'être sale. J'ai dit roule, mon ami, roule, keep going, parce que j'aime ça me rappeler de mon anglais de quand je travaillais, quand ma fille venait parler avec les clients pendant le lunch break.

J'ai dit, en riant, en regardant dans la vitre en arrière du taxi, roule. On s'en va vers l'ouest, young man. On se pousse à Chicago, ou à Seattle, ou pourquoi pas San Francisco. Tu m'amènes là-bas pis je te donne des billets de vingt piasses qui te craquent dans les doigts, tellement qu'ils sont neufs. La nuit était belle, comme le long du fleuve à Rivière-du-Loup, le long des maisons ancestrales. Il y avait les néons clignotants, avec les lampadaires qui passaient vite dans mes fenêtres, dans nos fenêtres. Il m'a dit, en mettant son clignotant pour tourner sur le boulevard, vous avez l'air heureux. J'ai quasiment lâché un cri de ti-cul dans la cour d'école, qui a ramassé toutes les billes juste au moment où Marie-Christine regardait, tu vois, Marie-Christine, avec ses lulus. Marie-Christine regardait juste à ce moment-là, juste quand j'ai commencé à me remplir les poches de billes.

Il m'a dit on a toute la vie devant nous, monsieur, hein ? On roule comme ça, vers l'ouest, il va jamais nous rattraper, parce qu'on est plus smats que lui, que toute sa gang de chiens de garde en blouses de nurses, toute sa gang en chemises de filles. Qu'ils pensent pas une seconde à essayer de nous ramener, parce que cette fois-là c'est la bonne : on a crissé le camp pour de vrai, monsieur.

À ce moment-là, j'étais tellement heureux que même les sirènes m'ont pas dérangé. Je les entendais, mais comme de loin, pas proche du tout, un bruit pas fort, pas proche de moi ni de lui. Ses paumes étaient tellement roses que ça me rendait propre. Il me souriait, faque je disais roule, mon ami, roule. Il me disait mon ami lui aussi, parce qu'il était noir comme une mine dans le nord. Ils disent ça eux autres, mon ami, mon ami, quand ils te vendent des tapis, des bibelots, ou des voyagements en taxi.

Les sirènes se rapprochaient, mais il a mis de la musique de son pays, chaude comme de la fumée de feu de camp. Il s'est mis à chanter. On faisait tellement une bonne équipe que j'ai connu les paroles tout de suite. J'avais pas mes dents, mais on se rejoignait dans notre miroir, avec les sirènes qui faisaient juste ajouter du rythme.

J'ai regardé dans la vitre d'en arrière pis j'ai vu l'ambulance qui nous courait après, mais je m'en foutais comme de l'an quarante. Le son des sirènes se mélangeait à mon plaisir. C'était bizarre un peu, mais tout à coup je savais qu'il m'emmènerait n'importe où, qu'on s'en allait ensemble traverser les lignes, parler à des douaniers bêtes, mais gentils en même temps. Qu'on avait rien à déclarer, sauf un chapelet en billes de bois pendu à notre miroir, de la gomme balloune avec des jokes dedans, un paquet de vingt piasses neufs. Les sirènes de l'ambulance nous poursuivaient. Ça faisait comme un son qui s'en allait ou qui s'en revenait continuellement, un battement rapide.

On roulait vite sur le boulevard, vers le sud, une vraie volée d'oiseaux migrateurs que je te dis, en mouvements tous pareils, cordonniers. J'ai souri, en fermant mes vieux yeux encore ben plus bons que les tiens. La musique jouait forte, les sirènes se rapprochaient. J'étais déjà en train de boire une Miller Lite, quelque part dans Haight-Ashbury, avec des hippies ou plein de belles femmes. J'ai souri sans mes dents, j'ai avalé ma salive tranquillement. Les sirènes sont comme devenues un son continu, pas dérangeant, une ligne de son, une note bien sentie, bienvenue.

Bouche tes oreilles

Deux adolescentes,
en face du Château Saint-Ambroise

« J'AI AUCUNE IDÉE de comment ça se peut des affaires de même, mais en buvant mon café à matin, j'ai senti un feeling bizarre sur ma langue. Je me suis mis les doigts dans la bouche, pis ça m'a pris au moins trois minutes à pogner un long morceau de fil à pêche frisé, comme translucide, qui me pendait de la gueule. J'ai tiré : ça avait l'air d'un ver solitaire ultra mince. J'ai pas osé le laisser tomber par terre, de peur de piler dessus plus tard, faque je me suis levée pour aller le jeter, mais y est resté collé sur mes doigts au-dessus de la poubelle, pendant vraiment trop longtemps. C'est bizarre parce qu'en te parlant, je viens de me rendre compte que

233

c'était peut-être vivant, cette affaire-là. Ça me picote dans la gorge, juste là, juste d'y penser.»

*

Un jeune homme avec son cellulaire,
à la sortie de la SAQ du Marché Atwater

«Ben oui estie je me suis encore pété le frein de prépuce l'autre jour, même si ça fait comme dix ans que je me le suis pété la première fois. Non, mais là c'était trop fou, parce que la fille était trop malade, trop chick, je capotais, on aurait dit que j'avais quinze ans. Je l'ai comme vraiment drillée fort, j'ai senti un petit clac soudain que juste à y repenser ça me donne des mini frissons. Non, sur le coup ça a pas vraiment fait mal, juste comme une sensation, un clac sec, *clac,* sauf que je savais ce qui m'attendait, parce que crisse, ça m'est déjà arrivé. Non, mais faut croire que ça se reconstruit lentement ces affaires-là pis que ça peut te repéter dans face n'importe quand, si tu te donnes trop, si tu pompes comme un malade. Ouin, faque j'ai continué, même si j'étais un peu inquiet, mais man, si tu l'avais vue, je veux dire, un petit claquement c'est quoi au milieu de ça. Faque j'ai continué à la driver, tu vois. Je suis venu pis, oh my fucking god, mon gars, le mélange de la dèche avec le sang, je sais pas trop, acide avec basique, genre, mais ça a fait vraiment mal. Je peux-tu te dire que ça pissait partout, man. Non, je l'ai pas revue, ouin c'est ça, ouin, non, c'était quoi ta question déjà?»

*

Quelques amis attablés
sur la terrasse de la brasserie McAuslan

« J'avais rien à faire l'autre soir, j'étais tanné de checker des petits clips pornos comme trop hardcore sur You-Porn, faque je me suis ramassé au Black Jack. J'ai passé la soirée dans un coin, à convaincre un gars que j'avais un Rhodes à lui vendre, 1971, en parfait état, mille sept cents piasses, qu'y fallait que je m'en débarrasse parce que j'avais genre hérité du truc, que je savais pas jouer de la musique, que ça me servait quasiment de souffre-douleur, que je donnais presque des coups de pied dedans, que le comment t'appelles ça, oué, le ventila-teur, oué, que même le ventilateur marchait comme sur des roulettes. Y m'a demandé si j'avais une carte, je l'ai regardé genre j'ai-tu l'air d'un gars qui a une carte. Y était ultra intéressé. Je pouvais pu m'arrêter. On a écrit nos numéros de téléphone sur une napkin, j'ai essayé de la déchirer droit mais à ce moment-là je commen-çais à être vraiment saoul. On a réécrit nos numéros de téléphone sur des sous-verres en carton. Après qu'y soit sorti en me disant OK, ben, bye, je vais t'appeler demain, je suis parti à rire tout seul, en attendant que quelqu'un me demande pourquoi. Fuck, je sais à peine c'est quoi, un Rhodes. J'étais comme fier de moi, d'avoir fourré un gars de même, en racontant des niaiseries. J'avais le goût de me taper sur une cuisse. J'avais ma grosse Canadian devant moi, la sixième ou la septième,

je me sentais fier. Un peu crosseur, tsé l'expression quand
t'es au-dessus de tes affaires. Oué. Y avait pas grand
monde dans le bar, mais j'avais l'impression que mes
amis étaient venus me rejoindre. J'ai voulu jouer une
game de pool, mais le gars à la table m'a dit quarante
coups de couteau, ça te tente-tu ? Faque je me suis dit
que je ferais mieux de me pousser. Je suis sorti, juste
après avoir essayé de prendre une dernière gorgée de
bière en m'appuyant sur la fille qui nettoyait ma table.
J'ai dit bye au DJ moustachu en gueulant genre, yo,
man, estie que tu connais ton stock, toé. Tu m'as fait
ma soirée en estie. J'ai failli rajouter estie de hipster à
marde, mais c'était comme tellement gratuit que j'ai ri
à place. Pis j'ai pris la porte. Je sais pas trop pourquoi,
mais je suis parti vers l'est au lieu de vers chez nous.
Je marchais tout croche, avec des petits bouts comme
vraiment droit, super concentré. J'ai presque eu le goût
d'arrêter au Nouveau Système, mais y prennent juste le
cash. J'avais pu rien sur moi, faque j'ai continué jusqu'à
la caisse pop. J'ai roté du vomi, en me disant que j'étais
peut-être mieux d'aller me coucher, mais fuck, ça me
tentait vraiment pas de juste être le gars qui se saoule
tout seul pis qui retourne chez eux tout seul. Faque
j'ai passé tout droit. J'ai traversé Atwater. Je commençais à m'éloigner pas mal, mais je m'en foutais parce
que j'avais vendu un Rhodes à un épais. À peu près en
face du Burgundy, j'ai spotté un gars qui marchait avec
une chemise carreautée. Sa face me disait de quoi. J'ai
marché un peu plus vite, plus croche. Y était de l'autre
côté de la rue, mais j'ai flashé d'un coup : fuck, c'est

Eddie Vedder, estie. J'ai vérifié qui avait pas de chars, pis j'ai retraversé la rue en criant hey! Fuuuuccckkk! Eddie Vedder! Faut que tu me signes un autographe, man, je suis ton plus grand fan! Le dude a pris un air relax, genre pas de problème, mon gars. Moi je riais, tellement j'étais excité. J'y ai tendu le sous-verre tout mou, tout mouillé, où l'autre cave avait écrit son numéro de téléphone. J'avais le goût de me frotter les mains vraiment vite pour dire quelque chose, pour exprimer de quoi, comme un autiste, ou je sais pas. Y m'a redonné le truc en me faisant un signe de tête poli. Sa chemise à carreaux me rappelait la grande époque de *Ten.* Je commençais déjà à fredonner *Jeremy spoke in…* quand j'ai vu le nom écrit en noir, bien lisible, genre Simon Brosseau, ou quelque chose. Ah ben tabarnac, là j'étais juste en crisse. Je l'ai fixé. Ma tête s'en allait par en arrière à tout bout de champ, j'étais obligé de quasiment la rattraper avec mes mains. Je l'ai fixé pis j'y ai postillonné dans face genre, mon sale, je te pète la yeule! C'est quoi ton estie de problème? C'est quoi ton estie de problème de te faire passer pour Eddie Vedder? Y a eu l'air vraiment bouché, vraiment comme retardé. Après cinq secondes, y m'a répondu quelque chose du genre, y a erreur sur la personne, c'est juste un malentendu. Y s'est retourné, en me plantant là avec mon sous-verre dans main, avec son crisse de petit nom de marde que je m'en rappelle déjà pu. Y a commencé à marcher un peu vite, j'imagine qu'y pensait que j'allais y courir après, mais j'ai rien fait, sauf soupirer. J'ai crié estie de tapette hawaïenne, mais un char a étouffé les derniers mots. J'ai viré de bord, en pensant ça arrive pas des affaires de même, ça arrive juste à moi des affaires de même. Je me suis mis en tête de marcher vers Atwater, parce que fuck, à cette hauteur-là, j'étais même pu dans Saint-Henri.»

Peine perdue

*La plaisanterie était si excellente que sa figure devint
légèrement violette et qu'elle se mit à hurler de rire.
Elle riait si fort qu'elle dut s'asseoir et qu'à la fin un
flot de larmes jaillit de ses yeux et coula jusqu'aux
coins retroussés de sa bouche.*

KATHERINE ANNE PORTER
La corde

E LLE EST REVENUE du marché avec un sac rempli
de produits essentiels, de ce qu'elle appelait un
fond de garde-manger. Pas grand-chose de comes-
tible sur le coup, des produits essentiels pour plus tard,
pour l'éventualité d'une recette précise, trouvée sur le
site de Ricardo ou de Josée di Stasio. Elle a déposé le sac
sur l'îlot, qu'il n'avait pas encore eu le temps de teindre,
au centre de la cuisine. Ça faisait deux ans qu'il lui avait
dit qu'il allait teindre le truc. Elle avait même acheté la
teinture, d'un brun noisette subtil, qui laissait voir les

nœuds du bois. Il lui demandait de quels nœuds elle parlait, lui rappelant avec son beau sourire qu'après tout, c'était juste un meuble IKEA.

Il y avait de la farine de blé, des épices, des essences, deux boîtes de tisanes bios. Elle a vidé son sac sur l'îlot, l'a plié et l'a remis à sa place dans un grand sac rempli de sacs. En commençant à ranger tout ça, à sortir ses pots Mason et ses tupperwares pour transvider, pour que ça se garde plus longtemps, elle est passée à côté de la radio et a appuyé sur un bouton. Le milieu d'une chanson qu'elle connaissait a rompu le silence de la cuisine et elle a fredonné. L'odeur piquante de la fumée de cigarette lui est parvenue du fond du couloir où il travaillait, la porte fermée.

Leur garde-manger était une petite pièce au fond de l'appartement, dont la vieille porte fermait mal. La porte fermait mal à cause probablement de toutes ces couches de peinture successives, d'un locataire après l'autre, d'une existence après l'autre vécue ici, avant la leur. Quand elle regardait la porte et son cadre, quand elle essayait de la faire glisser dans son chambranle, des couches et des couches de peinture l'en empêchaient. Elle se disait que peut-être aussi ce n'était pas ça, que peut-être aussi ce n'était qu'une question de vieillesse et d'usure. Elle se demandait si ça ne revenait pas au même, d'une certaine manière. Ça reflétait le même genre d'expérience humaine, l'usure et les couches successives. La porte ne restait pas ouverte, quand elle entrait dans le garde-manger, et souvent, comme elle oubliait d'allumer la lumière, elle se faisait surprendre dans le noir total. Pour sortir elle devait pousser fort sur la porte qui fermait mal, qui se coinçait.

Il lui avait proposé de sabler le coin supérieur, pour que ça glisse mieux, mais ne l'avait jamais fait. Il le lui avait proposé souvent, pestant chaque fois qu'il allait chercher quelque chose dans la petite pièce. Il se retrouvait dans le noir et elle l'entendait sacrer. Il avait proposé d'enlever la porte, lui avait dit qu'ils pourraient simplement enlever la foutue porte, la faire sortir de ses gonds, pourquoi pas ? À quoi servait-elle, cette porte, au fond ? lui demandait-il. C'était une porte qu'on aurait pu enlever, qui ne servait à rien, qui ne changeait strictement rien à rien.

La fumée n'était qu'une odeur, elle ne la voyait pas, ce n'était pas un nuage de fumée qui enveloppait les globes et les ampoules dans le corridor. Ce n'était presque rien, qu'une sensation fine et piquante dans ses narines, mais ça la dérangeait quand même. Elle a chanté la fin de la chanson, ce refrain entraînant revenant plusieurs fois de suite. Chaque fois qu'elle se retrouvait dans la petite pièce et que la porte se refermait derrière elle, le son de la musique devenait sourd et elle chantait un peu plus fort. Ensuite, elle se retournait et poussait fort sur la porte pour l'ouvrir et elle retournait dans la cuisine chercher un article de plus à ranger.

La chanson s'est terminée et la voix d'un animateur lui a confirmé que c'était bien ce qu'elle pensait. Elle savait que c'était bien ce qu'elle pensait, mais il y avait tellement de nouvelles chansons qui sortaient tous les jours qu'elle n'en était pas certaine à cent pour cent.

Il y avait des dizaines de chansons qu'elle savait par cœur dont elle ne connaissait pas l'auteur. Elle disait qu'en autant que ça sonnait bien, à quoi ça servait de savoir qui chantait. De toute façon, la musique à la radio, c'était toujours un peu pareil, un peu redondant, comme il aurait dit, lui. Elle était d'accord, mais ça ne changeait rien. Quand elle fredonnait les mélodies et les mots, ça sonnait bien. L'animateur a parlé brièvement de la température et d'un film qui venait de sortir. Il a donné l'heure exacte selon lui. Il a mis une autre chanson.

C'était important d'avoir un fond de garde-manger, et pas seulement de la viande et deux ou trois légumes dans le frigo. Quand ils s'étaient rencontrés, elle lui avait tout expliqué, son amour pour la nourriture et sa passion pour les produits de base de l'alimentation et la source des aliments. Elle avait dit que ce n'était pas une bonne habitude, d'après elle, de ne pas s'intéresser à ce qu'on mangeait. Il avait répondu qu'il ne pouvait pas être plus en accord avec elle, que c'était littéralement impossible d'être plus d'accord avec elle que ça. Il l'avait regardée dans les yeux, déjà amoureux peut-être, et elle avait rougi. Il parlait bien. Il parlait de choses éloignées, de pays en guerre et de poésie japonaise. Sans jamais bouger les mains.

Elle avait décidé de le ramener chez elle le soir même de leur premier rendez-vous, malgré quelques moments un peu lourds, où le silence s'était installé. Il parlait beaucoup de lui, sans bouger les mains. Parfois, elle avait l'impression que les questions qu'il lui posait n'étaient en fait que des stratégies détournées pour illustrer une nouvelle facette de lui-même.

Aucune porte ne fermait bien, après tout, dans cet appartement. Les armoires fermaient mal. La porte de la salle de bain s'ouvrait toute seule, comme mue par un ressort invisible. La porte de leur chambre ne fermait tout simplement pas. Elle lui avait demandé s'il croyait qu'ils auraient pris l'appartement s'ils avaient su ça en avance, s'ils avaient vérifié toutes les portes durant la visite. Mais il avait répliqué que personne ne faisait ça, que personne ne vérifiait les portes durant une visite. Elle ne devait pas oublier que c'était un vieil immeuble, datant du début du siècle. Elle était bien d'accord, mais pensait-il pouvoir faire quelque chose pour en arranger une ou deux, de porte ? Il s'en occuperait tout à l'heure, demain, après-demain, lui avait-il promis plusieurs fois.

Ses mains bougeaient à peine quand il parlait, mais il était très expressif tout de même. Parfois, le ton de sa voix montait. Elle l'entendait sacrer à un bout ou à un autre de l'appartement. Il sacrait contre son ordinateur ou contre le garde-manger. Quand elle est revenue une dernière fois dans la cuisine, après avoir fini de ranger ses affaires, elle a pensé à ses beaux yeux qui la fixaient au-dessus de sa pinte de bière et elle a rougi à cause du souvenir. Il disait souvent qu'il était déjà amoureux d'elle quand ils étaient sortis du bar et qu'ils avaient commencé à marcher vers chez elle. Quoi qu'elle ait pu faire, à ce moment-là, il n'aurait pas changé d'avis, puisqu'il ne se contrôlait plus vraiment. Elle aurait pu cracher sur une *ambulance,* il l'aurait suivie quand même et l'aurait embrassée. Mais elle n'avait pas craché sur quoi que ce soit, pourquoi aurait-elle craché, et sur une *ambulance* en plus ? Il le savait bien, qu'elle n'avait pas craché, c'était une façon de parler, une façon de lui faire comprendre qu'elle l'avait ensorcelé. Est-ce qu'elle comprenait ? Bien sûr qu'elle comprenait. Lui disait-il assez souvent qu'il l'aimait ? Même après presque trois ans ? Oui, il le lui disait assez souvent, même si ce n'était jamais assez, d'une certaine façon.

Elle a laissé couler l'eau du robinet une quinzaine de secondes avant de remplir sa bouilloire, en gardant la main sous le jet dans un réflexe, pour vérifier la température. La radio continuait à jouer, une mélodie lente qui ne lui disait rien, qu'elle écoutait d'une oreille inattentive. Ça chantait dans une langue inconnue, un peu gutturale. L'odeur de la cigarette lui parvenait du fond du couloir et elle a soupiré. Ils en avaient discuté auparavant. Pourquoi n'arrêtait-il pas de fumer, comme il le lui avait promis des millions de fois ? Elle exagérait, il n'avait rien promis du tout. Mais bien évidemment qu'elle exagérait, tout le monde exagérait, tout le temps, ça ne changeait rien au fond du problème. Il disait qu'il pouvait fumer dehors, si ça la dérangeait tant que ça. Elle répondait qu'il ne comprenait pas. Qu'est-ce qu'il ne comprenait pas ? Et encore une fois elle lui disait d'oublier ça et c'est lui qui soupirait.

Elle a posé la bouilloire sur la cuisinière et a allumé le mauvais rond comme d'habitude. Quand il est devenu rouge, elle a sacré et a tourné et retourné les boutons.

Elle faisait toujours la même erreur, c'était pathétique. Ça ne la faisait même plus sourire.

À peine dix mois après leur première rencontre, ils avaient déménagé ensemble, dans ce beau quatre et demie au cœur de Saint-Henri, un quartier qu'il avait choisi à cause de son importance historique et symbolique, où il voulait écrire son livre. En visitant les différents appartements, ils étaient tombés sous le charme de celui-ci, avec son salon double et son balcon qui donnait sur la rue Saint-Jacques, avec ses pentures d'époque, ses plinthes, ses moulures et ses portes en bois massif. Le plancher craquait, mais à des endroits stratégiques, pas dérangeants. Ils avaient visité main dans la main et il lui avait dit qu'il se voyait très bien vivre ici avec elle, pas elle? Elle aussi. Elle a remarqué un mouton de poussière qui sortait d'en dessous du four et elle s'est penchée pour le ramasser.

Ça la frustrait d'être toujours celle qui se penchait pour ramasser la poussière, d'être celle qui pensait à passer l'aspirateur, d'être celle qui nettoyait l'écran de la télévision avec un linge sec. C'est elle qui époussetait ses bibliothèques, ses étagères de livres compliqués qu'il essayait sans cesse de la convaincre de lire, au lieu d'écouter des chansons nulles à la radio et de regarder des films de merde. Elle est allée chercher le balai dans la remise, pendant que l'eau chauffait, lentement, et que l'animateur parlait d'un accident sur l'autoroute 20. Il ne faisait jamais rien avec ses mains, sauf écrire des poèmes de quartier, inventer des statuts improbables sur Facebook et chercher la définition de mots rares sur Google.

Elle aimait ça, vivre ici. Mais elle se demandait si elle aurait choisi autre chose si elle avait su pour les portes. Personne ne l'avait avertie qu'aucune porte ne fonctionnait normalement. Elle se demandait si ces portes avaient déjà fonctionné. À une certaine époque, quand on entrait dans le garde-manger, la porte restait ouverte, bien huilée, et, quand on en ressortait et qu'on la fermait, elle clenchait, les parties de la serrure s'emboîtant parfaitement. Elle a commencé à balayer la cuisine en s'apercevant qu'elle s'ennuyait beaucoup d'avoir à tourner une poignée pour ouvrir une porte.

En balayant les minuscules pelures d'oignons et d'autres petits morceaux de nourriture, des grains de couscous, des grains de riz, des grains de litière, elle s'est rendu compte que ça lui manquait, d'être quelqu'un qui tourne une poignée pour ouvrir ou fermer une porte de salle de bain. Ça lui manquait de pouvoir barrer une porte normalement, une porte munie d'une serrure normale, efficace. Elle a fredonné le refrain d'une chanson bien plus vieille qu'elle. La bouilloire a sifflé à ce moment-là. Elle s'est retournée un peu vite. Le chat, nerveux, a pilé dans son tas de poussière et de grains pour aller se réfugier sous la table.

Elle n'a pas senti sa présence et il l'a fait sursauter, une silhouette dans l'entrée du corridor. Il ne tenait pas de cigarette, mais même d'ici ses vêtements sentaient. Quand elle faisait le lavage, elle se disait que ses vêtements puaient. C'était moins neutre, ça reflétait mieux son rapport à l'odeur, à la fibre des tissus comme imbibée de fumée. Ça lui faisait repenser à sa bouche, à son haleine. Il avait fumé une seule cigarette cette soirée-là, qui avait été organisée par un ami commun. Elle était sortie avec lui sur le boulevard, dans la nuit pas encore très chaude d'avril, et elle avait fumé avec lui. Leur discussion avait tourné autour du fait qu'il était en processus d'arrêt, que la vie était un processus continuel, sempiternel, que l'univers tournait et grossissait. Elle lui avait même demandé de lui en offrir une, pourquoi pas ? Ça lui arrivait de fumer, quand elle buvait. Il avait répondu que c'est ce qu'il voulait faire lui aussi, fumer dans des occasions spéciales, se contrôler, fumer par plaisir et non par dépendance. Il ne voulait pas nécessairement cesser de fumer complètement, mais cesser d'être dépendant. Croyait-il que c'était possible ? Il n'y croyait absolument pas, il se mentait à lui-même, mais bon, c'était une de ses spécialités, de se mentir, après tout il était écrivain.

Et ensuite il avait ri longtemps, et elle aussi, charmée par cette profonde conscience de soi qu'il semblait posséder et diriger vers elle. Il était égocentrique et sarcastique d'une façon charmante, ses mains ne bougeaient presque pas quand il parlait, et il parlait tout le temps. Il l'avait appelée « miss » plus tôt dans la soirée et, maintenant qu'elle avait bu un peu, qu'ils avaient ri ensemble, elle avait assez de confiance en elle pour lui dire qu'il n'avait pas besoin de recommencer. Que ce n'était vraiment pas nécessaire. Comment ça, elle n'aimait pas ça, « miss » ?

L'animateur, entre deux chansons, a raconté une blague qu'elle avait entendue pour la première fois en secondaire deux. Il s'est esclaffé et par-dessus son rire, le couvrant en crescendo, une pièce de techno un peu agressive a commencé. C'était fou à quel point l'odeur d'une cigarette et l'odeur de la fumée étaient différentes de l'odeur d'une personne qui venait de fumer, de ses vêtements, une personne qui ne pouvait se sentir elle-même. Il était là, juste à côté du four, juste à côté de sa bouilloire, qu'elle a attrapée en fermant le rond, et il sentait la vieille cigarette écrasée, il puait le mégot. Elle s'imaginait l'embrasser et elle s'est sentie fatiguée tout à coup. Le petit tas de grains de litière et de particules de poussière lui semblait très loin. Elle avait envie qu'il retourne dans son bureau, pour pouvoir bâiller, ou pleurer, ou quelque chose comme ça.

Il lui a demandé ce qu'elle avait acheté, il imaginait que c'étaient des trucs de granole comme d'habitude. Il gageait qu'ils allaient manger du germe de blé pour les trois prochaines semaines. Pouvait-elle baisser la musique un peu ? Pouvait-elle juste se retourner et baisser le son de la radio ? Juste d'une coche ou deux. Elle l'a fait en lui répondant d'une voix blanche qu'elle avait acheté de la farine et des pâtes, une bouteille d'essence de vanille, parce que c'était pratique, et plein d'autres choses. De la tisane à la camomille. Il a dit qu'elle avait oublié le patchouli. Elle s'est forcée pour ne pas soupirer de façon trop évidente, par la bouche. Le genre de soupir qu'il faudrait chronométrer tellement il est long. Il était accoté sur le mur, membres croisés, entre la cuisine et le corridor, entre les deux pièces, ni dans l'une ni dans l'autre.

Qu'est-ce qu'il aurait aimé qu'elle achète ? Du steak haché avec une boîte de Hamburger Helper ? Vingt-cinq boîtes de Kraft Dinner ? Elle s'est dirigée vers la petite pièce au fond pour aller chercher une poche de thé. Il a décroisé ses bras, décroisé ses jambes, mais il est resté accoté, un peu oblique, en lui répondant de relaxer, du tac au tac, qu'elle savait bien qu'il niaisait. Elle le savait, elle trouvait seulement qu'il niaisait souvent. Qu'est-ce qu'elle voulait dire ? Elle ne savait pas. Comment ça elle ne savait pas ? Elle ne savait pas, c'était tout. Qu'il oublie ça. Elle a donné un coup de coude dans la porte, juste avant qu'elle ne se referme sur elle.

Ses mains ne bougeaient pas, elles étaient dans les poches de ses jeans. Il écrivait des poèmes et des statuts étranges sur sa page Facebook. Il disait que c'était la seule façon productive de procrastiner. Ils avaient couché ensemble la nuit de leur premier rendez-vous, sur son divan-lit, dans son petit un et demie du ghetto McGill et il lui avait envoyé une demande d'amitié Facebook le matin suivant, alors qu'elle dormait encore, à partir de son téléphone cellulaire. Ils avaient ri ensemble encore une fois, et elle avait rougi en lisant son statut crypté, une phrase codée pour eux seulement, écrite à sept heures et demie du matin, qu'ils seraient les seuls à comprendre. Il avait passé presque tout l'après-midi avec elle. Ils s'étaient revus dès le lendemain et ils avaient tous les deux appelé leur ami commun pour le remercier. C'était une histoire qu'il aimait raconter à tout le

monde et à n'importe qui. Il disait qu'ils avaient téléphoné à l'ami en question en même temps, quasiment
en même temps. L'ami avait dû le mettre en attente
pour lui parler à elle. En versant l'eau bouillante sur la
poche de thé elle a reçu une petite goutte sur son pouce
mais ça n'a rien changé. Chaque fois qu'il racontait cette
anecdote, il ajoutait des détails, il enjolivait. Elle pouvait
même affirmer, en toute objectivité, selon la définition,
qu'à partir d'un certain moment il se mettait à mentir.
Ce n'était pas comme ça que ça s'était passé. Mais elle
ne disait rien, évidemment, elle souriait en l'écoutant.
Tout en racontant et en riant, en jouant sur des détails,
il la caressait dans le dos en faisant un cercle, toujours
le même cercle, et ça finissait par brûler.

Qu'est-ce qu'elle voulait qu'il oublie ? De quoi elle
parlait ? Il n'avait plus le droit de faire des blagues ?
Elle a répondu tout bas que peut-être ils n'avaient pas
la même définition du mot *blague*. Il a dit qu'il n'avait
pas entendu, qu'est-ce qu'elle avait dit ? Elle a répété et
il a fait ce son avec sa bouche qu'elle détestait, même
au début, quand elle ne détestait rien, rien du tout,
quand tout lui plaisait. Quand même cette manie qu'il
avait de se moucher extrêmement fort tous les matins
lui plaisait, quand elle trouvait ça adorable, ce son de
trompette bouchée qu'il faisait avec ses deux narines,
le matin quand elle essayait de dormir.

Il lui a dit qu'elle était vraiment susceptible ces
derniers temps. Elle était à cran, il ne pouvait rien lui
dire. Elle a laissé tomber la poche dans l'évier. Son thé
serait faible. La dernière chose qu'elle avait envie de

faire, c'était un geste cliché, comme se passer une main dans le front et pousser sur ses sourcils pour signifier son mal de tête.

En changeant de sujet, en essayant de rattraper quelque chose qui lui glissait entre les doigts, elle lui a demandé si ça avançait bien, ses affaires. Il puait la cendre, le fond de cendrier trop plein. Il lui disait souvent qu'elle n'avait qu'à s'imaginer un feu de camp, que c'était sensiblement la même chose. Elle n'avait qu'à s'imaginer qu'il sentait le bon vieux feu de camp. Non, ce n'était pas du tout la même chose. Bah, au fond c'était seulement une question de point de vue. Non, pas vraiment.

Il a répondu tout de suite qu'elle le saurait si elle prenait la peine de lire ce qu'il écrivait, si elle se montrait le moindrement intéressée par ce qu'il faisait dans la vie. Qu'elle n'aurait pas besoin de lui poser la question, et sur un ton méprisant, qui plus est, si elle montrait le minimum d'intérêt pour autre chose que les pois chiches et la musique plate. Elle s'est retenue de demander *qui plus quoi*? Oh, mais pensait-il vraiment qu'elle ne s'intéressait pas à ce qu'il faisait? Il ne savait pas, mais ce qu'il savait, c'est qu'elle n'avait pas lu une seule ligne de lui depuis le temps où ils flirtaient, en tout cas. Qu'est-ce qu'il insinuait? Il n'insinuait rien, il constatait juste que sa propre blonde se crissait de son écriture, c'était tout. Comment pouvait-il dire ça, c'était tellement présomptueux et tellement méchant. Elle l'avait toujours soutenu et encouragé, depuis les débuts, elle adorait ses poèmes et ses nouvelles. Il a refait le son qu'elle détestait, une sorte de «tsk», le même son qu'il faisait pour éloigner le chat.

Et tout de suite après, ils ont eu l'engueulade la plus absurde et la plus définitive de leur vie de couple. Ça a duré à peine deux minutes. Ensuite, elle a dormi une semaine chez sa mère et elle a trouvé un appartement à l'autre bout de la ville, loin du Sud-Ouest, dans un quartier où la ville offrait un service de ramassage du compost. Elle s'est surprise à y repenser quelquefois, bien plus tard, et elle s'est dit que ça avait été pour le mieux, mais que c'était loin d'avoir été élégant.

Elle l'a regardé en lui disant que c'était tellement désagréable quand il criait, on aurait dit un Arabe en pleine crise constitutionnelle à propos de la validité de la charia. Est-ce qu'elle lui a vraiment dit ça ? Sûrement, parce qu'elle se souvenait très bien de sa réplique. Il lui a répondu qu'arabe ce n'était pas une nationalité. Qu'arabe c'était une. Pas une race. Une. Qu'arabe ce n'était pas une nationalité en tout cas. Que, même si l'Arabie Saoudite existait, les habitants du pays s'appelaient des Saoudiens. Que c'était limite raciste, son commentaire. Que, CQFD, un Arabe ne pouvait pas être en crise constitutionnelle. Elle s'est mise en colère d'un coup sec, et lui a rétorqué qu'il ne savait vraisemblablement pas ce que voulait dire CQFD. Comme il était ignorant. Il ne comprenait rien à rien. Il était encore plus ignorant parce qu'il s'exprimait toujours avec des pseudo-expressions intellectuelles et des grands mots venant du latin comme *acronyme* et *cécuèffdé*. Elle n'était plus capable de l'endurer, lui et son snobisme à deux cennes. Elle allait crisser le camp. Il allait voir, il ne perdait rien pour attendre.

Il l'a imitée, en répétant qu'il ne perdait rien pour attendre, avec une voix aiguë. Il s'est approché d'elle et lui a dit que CQFD, ça voulait dire, ça avait toujours voulu dire la même chose, ça voulait dire *Ce Qu'il Fallait Démontrer,* que ça n'avait rien à voir avec le latin. Il lui a crié que c'était une preuve mathématique, que les mathématiques, le raisonnement mathématique fonctionnait comme ça, qu'elle était une grosse conne. Il a dit qu'il s'excusait, tout de suite après. Il s'est confondu en excuses, les bras tendus vers elle en lui disant qu'il n'avait pas voulu dire ça, que c'était sorti tout seul. Elle a crié qu'elle s'en foutait. Elle a crié qu'elle n'en avait rien à crisser de ce qu'il disait, ou de ce qu'il ne disait pas. De toute façon, il était bien plus con qu'elle, de loin, de vraiment loin. Il était probablement la personne la plus conne du monde, avec ses poèmes et ses favoris graisseux, et sa manière absolument insupportable de se brosser les dents.

Il ne voyait pas où elle voulait en venir. Elle lui a répondu qu'il le savait en tabarnac. Il a changé de ton en lui répétant plusieurs fois qu'il s'excusait, qu'il n'avait pas voulu crier après elle, mais que c'était juste son estie de musique qui l'empêchait de se concentrer. Il haïssait ces esties de chansons-là, depuis toujours, elle le savait très bien. Elle pouvait peut-être juste faire un petit effort pour baisser le son quand il était dans son bureau, elle le savait que sa porte fermait mal. Ce n'était pas la première fois qu'ils avaient cette discussion, elle le savait. Elle le savait, en effet, et lui il savait quoi? Est-ce qu'il savait que c'était la dernière? Est-ce qu'il savait, comme elle, que c'était la dernière fois qu'ils avaient cette discussion? Et n'importe quelle autre discussion? Les discussions sur la teinture et sur le sablage aussi. Est-ce qu'il savait qu'il n'y aurait plus de discussions entre eux? Elle, elle le savait en tout cas. Qu'il aille se faire mettre.

Mais elle ne comprenait rien à rien! C'étaient des niaiseries, tout ça! Il recommençait à crier. Mais non, il ne recommençait pas. Mais oui! Il haïssait ça en estie quand elle essayait de s'en sortir en lui demandant d'arrêter de crier. Oh, mais il se trompait. Elle ne lui demandait pas d'arrêter de crier. Elle ne lui demandait rien du tout. Elle ne lui demanderait plus rien. Lui non plus d'abord. C'était parfait comme ça. Oui, c'était parfait.

Parfait.

Parfait.

Elle lui a tourné le dos, les talons, la queue de cheval, le cul, les omoplates, la colonne vertébrale, toute droite. Elle est sortie, toute droite. Du centre de la cuisine, il la regardait et la jugeait. Il lui a crié qu'elle marchait tout croche, mais oh mon dieu comme elle s'en crissait, c'était fou comme elle s'en crissait. Les derniers mots ont flotté dans l'air, derrière elle, devant lui, indistincts et légers.

LE QUARTANIER
Titres au catalogue – fiction et poésie

Polygraphe

Série QR

OVNI

Achevé d'imprimer au Québec en mai 2012
sur les presses de l'imprimerie Gauvin.